La version de Jérémie!

EH Héritage jeunesse

Catalogage avant publication de Bibliothèque et Archives nationales du Québec et Bibliothèque et Archives Canada

Rippin, Sally

    Les 2 côtés de la médaille

    (Go girl!)

    Traduction de : Two sides to every story.

    Pour les jeunes.

    ISBN 978-2-7625-9040-1

    I. Rippin, Sally. II. Ménard, Valérie. III. Titre. IV. Collection : Go girl!.

Version française
© Les éditions Héritage inc. 2010
© Les éditions Héritage inc. 2010
Traduction de Valérie Ménard
Révision de Ginette Bonneau
Infographie : D.sim.al/Danielle Dugal

Nous reconnaissons l'aide financière du gouvernement du Canada par l'entremise du Programme d'aide au développement de l'industrie de l'édition (Padié) pour nos activités d'édition.

Gouvernement du Québec – Programme de crédit d'impôt pour l'édition de livres.

Go GiRL! Les 2 côtés DE LA MÉDAILLE

Double défi

PAR
SALLY RIPPIN

TRADUCTION DE **VALÉRIE MÉNARD**
RÉVISION DE **GINETTE BONNEAU**

ILLUSTRATIONS DE **SONIA DIXON**

INFOGRAPHIE DE **DANIELLE DUGAL**

EH Héritage jeunesse

Chapitre

un

— Allez Jérémie, lance sa mère. C'est l'heure de partir !

Jérémie descend l'escalier en courant jusqu'à la porte d'entrée. Son sac tambourine sur son dos. Il fait une course avec sa sœur jumelle jusqu'à la voiture, mais son sac est si lourd qu'il a de la difficulté à avancer.

Il sait qu'il n'a pas à apporter tous ses livres le premier jour d'école, mais il aurait trop peur de les oublier par la suite. C'est

pourquoi il a décidé de tous les ranger dans son sac.

Dans leur ancienne maison, il aurait demandé à Charlotte quels livres apporter.

Elle l'aurait même aidé à les placer dans son sac de manière à ce qu'il ne sente pas leurs coins dans son dos. Mais depuis qu'ils sont déménagés dans leur nouvelle maison, ils ne partagent plus la même chambre. Charlotte chantait allègrement à tue-tête dans sa chambre située à l'autre bout du corridor pendant qu'il préparait son sac.

Plusieurs choses ont changé depuis que les jumeaux ont quitté le village où ils ont grandi pour s'installer en ville. Mais c'est le fait que chacun ait sa propre chambre qui déstabilise le plus Jérémie. Nous avons toujours partagé la même chambre, pense-t-il. Je suis déçu de ne plus être tout le temps auprès d'elle.

Cela peut sembler enfantin, mais s'il se réveillait en sursaut la nuit ou qu'il faisait un cauchemar, le simple fait d'entendre la respiration de Charlotte dans la noirceur le rassurait.

Je plains les gens qui n'ont pas de jumeau, songe-t-il. Ils doivent se sentir si seuls. C'est déjà assez difficile de savoir Charlotte à l'autre bout du corridor !

❋

Jérémie court aussi vite qu'il le peut, mais Charlotte remporte la course jusqu'à la voiture une fois de plus. Leur mère les suit. Elle a l'air impatiente. Jérémie sait que cela signifie qu'ils sont en retard. Ça le rend encore plus nerveux.

— Désolée, les enfants. J'ai perdu la notion du temps ! dit leur mère en faisant cliqueter les clés de la voiture dans sa main.

Jérémie déteste être en retard. Il a programmé son réveil pour 6 h 30 exprès pour avoir amplement le temps de se préparer pour sa première journée à sa nouvelle école. Il a même sorti son uniforme scolaire de la garde-robe la veille.

Leur père s'est également levé tôt afin que Jérémie et lui puissent déjeuner ensemble. Charlotte et leur mère sont restées au lit le plus longtemps possible, comme d'habitude.

— J'ai *encore* gagné ! Tu dois courir plus vite, petit frère, plaisante Charlotte en lui tirant la langue. On dirait que c'est encore moi qui m'assois à l'avant !

Jérémie hausse les épaules. Il n'a pas l'esprit de compétition aussi développé que Charlotte. Il souhaite simplement arriver à l'école à l'heure.

— Allez les enfants, lance leur mère en déverrouillant les portes. Montez tous les deux à l'arrière.

Jérémie ouvre la porte et inspecte la banquette arrière.

— Mais toutes tes toiles sont encore là ! rouspète-t-il.

— Oh ! j'ai oublié, répond leur mère. Et nous n'avons pas le temps de les sortir. Assois-toi à l'avant, Charlotte. Jérémie, s'il te plaît, repousse tout ça sur le plancher. Tu es un amour.

C'est toujours le désordre avec les fournitures d'art de sa mère. De vieilles toiles, des tubes de peinture et des pinceaux glissent sur le plancher. On ne sait jamais ce qui sera collé à notre pantalon quand on ressort de la voiture. Jérémie examine donc

la banquette attentivement avant de monter. Il ne veut pas tacher son nouvel uniforme avec de la peinture.

Charlotte dit toujours qu'elle a la permission de s'asseoir sur le siège du passager parce qu'elle est l'aînée. La vérité, c'est qu'elle est née seulement quatre minutes avant son frère. Mais Jérémie doit admettre qu'il a parfois l'impression qu'elle est beaucoup plus vieille que lui. Même s'il aimerait s'asseoir à l'avant de temps à autre, cela le rassure que Charlotte veille sur lui comme s'il était son petit frère.

Pendant le trajet vers leur nouvelle école, une seule pensée parvient à calmer les papillons dans le ventre de Jérémie. Je suis si heureux que Charlotte soit là pour veiller sur moi aujourd'hui.

Chapitre
deux

Lorsqu'ils arrivent à l'école, Charlotte disparaît rapidement dans sa classe. Jérémie est étonné de la voir entrer d'un pas aussi assuré dans une classe où elle ne connaît personne!

Il l'aperçoit s'avancer vers sa nouvelle enseignante, qui lui sourit et hoche la tête. Jérémie sent le nœud dans son ventre se resserrer. Puis, il sent la main de sa mère se poser doucement sur son épaule. Il se retourne pour la regarder. Elle sourit et se penche jusqu'à ce que son visage soit au même niveau que celui de son fils.

— Tout ira bien, mon chéri, le rassure-t-elle.

Jérémie avale sa salive.

— Je ne me sens pas bien, répond-il.

Sa mère prend son visage dans le creux de sa main. La douceur de sa main crée une sensation fraîche et douce sur sa joue brûlante.

— Je t'assure que tout ira bien, ajoute-t-elle.

— Pourquoi est-ce que je ne suis pas dans la même classe que Charlotte? demande-t-il tandis qu'ils marchent en direction de sa classe.

Il dessine une demi-lune dans la terre sèche avec son soulier. Il connaît déjà la réponse, mais il ne peut s'empêcher de poser la question à nouveau.

Sa mère esquisse un petit sourire.

— Nous en avons déjà discuté, mon chéri. Tu sais pourquoi. Cela vous sera bénéfique à tous les deux.

— Mais on a toujours été dans la même classe, souffle-t-il.

— Vous n'étiez que 87 élèves à votre ancienne école, Jérémie, et il n'y avait qu'une seule classe par niveau! Ici, les enseignants croient qu'il est préférable que les jumeaux soient séparés, et je suis d'accord avec eux. Charlotte et toi, vous avez une belle relation, mais il est également important que chacun de vous se développe indépendamment de l'autre.

Jérémie ne lève pas les yeux du sol.

— Mais j'aime être avec Charlotte.

— Je sais, trésor, dit doucement sa mère. Et elle aime aussi être avec toi. Mais elle a également envie de se faire de nouveaux amis. Tu te feras de nouveaux amis, toi aussi ! Tu verras.

Non, ce n'est pas vrai, pense Jérémie. Je suis trop gêné. C'est Charlotte qui se fait facilement des amis.

— Viens, lance sa mère en se redressant. Allons rencontrer ton nouvel enseignant. Je suis persuadée qu'il est très gentil.

Elle prend la main de son fils dans la sienne, puis elle entraîne Jérémie vers sa classe. Il la suit, mais il commence à avoir terriblement mal au ventre. Il voudrait bien savoir où se trouve l'infirmerie.

— Nous voici, dit sa mère au moment où ils arrivent devant la porte d'une classe bruyante.

Jérémie jette un coup d'œil à l'intérieur. Il y a beaucoup d'enfants ! Ils parlent fort, ils vont et viennent calmement dans la pièce. De toute évidence, ils se connaissent tous et savent ce qu'ils ont à faire.

Jérémie sent la main de sa mère glisser de la sienne. Elle le pousse doucement à l'intérieur. Il prend une grande respiration et entre dans la classe. Ses jambes ne lui ont jamais paru aussi molles.

L'enseignant lève la tête au moment où Jérémie arrive.

— Ah, voici notre nouvel élève! dit-il gaiement. Jérémie, c'est ca? Nous sommes heureux de te compter parmi nous. Je suis monsieur Petit.

Jérémie se retourne pour regarder sa mère. Elle lui souffle un baiser de l'autre côté de la porte, d'où personne ne peut l'apercevoir. Jérémie aime bien l'air pince-sans-rire de monsieur Petit. Il semble prêt à lancer une blague à tout moment.

Monsieur Petit tend la main à Jérémie.

Jérémie la lui serre. Ce geste lui donne vraiment l'impression d'être traité en adulte.

— Loïc! dit monsieur Petit à un garçon à l'arrière de la classe. Fais de la place à Jérémie pour qu'il puisse s'asseoir, s'il te plaît. Loïc est le bouffon de la classe. N'est-ce pas Loïc?

— Je fais de mon mieux, monsieur Petit, dit-il avec un large sourire.

— Je suis certain que Loïc saura te divertir, Jérémie, ajoute monsieur Petit.

Jérémie rejoint Loïc et s'assoit au pupitre voisin du sien.

Loïc a des cheveux blonds ébouriffés et des taches de rousseur. Le large espace qui apparaît entre ses deux incisives supérieures lui donne un air encore plus taquin lorsqu'il sourit.

— Salut ! lance-t-il.

— Salut, répond Jérémie en lui adressant un sourire timide.

Son mal de ventre commence à s'atténuer.

— Bien, dit monsieur Petit. Quand tout le monde sera assis, nous pourrons commencer. Le projet commun d'étape portera sur l'environnement. Notre classe devra étudier les effets de la sécheresse et trouver des solutions pour protéger les plans d'eau. Quelqu'un a-t-il des suggestions ?

— Nous pourrions boire du Coca-Cola à la place de l'eau, chuchote Loïc.

Jérémie sourit. Il adore les blagues stupides, même si Charlotte pense plutôt le contraire. Sans réfléchir, il se penche vers Loïc et dit à voix basse :

— Que boivent les grenouilles ?

Loïc hausse les épaules.

— Du « coââ-cola » murmure Jérémie, sérieux comme un pape.

Loïc éclate de rire.

— Loïc, l'interpelle monsieur Petit. Qu'est-ce qui te fait rire ? Ce serait bien si tu le partageais avec nous.

Jérémie recommence à se sentir malade. Et si Loïc me dénonçait ? pense-t-il. Et si je me faisais réprimander ? Il n'arrive pas à croire qu'il a fait une blague alors qu'il devait écouter monsieur Petit. Il aura certainement des ennuis devant tout le monde. Et Charlotte n'est même pas là pour le défendre !

Puis soudain, Loïc répond :

— Bien, je pensais simplement qu'on pourrait tous boire du Coca-Cola à la place de l'eau !

Il sourit à Jérémie.

Il ne m'a pas dénoncé ! songe Jérémie, soulagé.

— Ce n'est pas tout à fait la réponse que j'attendais, Loïc, répond monsieur Petit en souriant. Mais bien essayé. Et toi, Jérémie ? Que ferais-tu pour protéger les plans d'eau de notre pays ?

Jérémie sent ses joues brûler. Il n'aime pas répondre à des questions en classe.

— Eh bien, nous avions installé un bassin pour récupérer l'eau de pluie que nous utilisions pour arroser le jardin, dit-il doucement.

— Un bassin de récupération d'eau de pluie ! s'exclame monsieur Petit. C'est une idée comme celle-ci que je cherchais. Très bien, Jérémie.

Jérémie sent ses joues rougir davantage, mais il est heureux.

— Pourquoi n'installerions-nous pas un bassin de récupération d'eau de pluie à l'école, dans ce cas ? suggère une fille.

— Ouais, on pourrait arroser le terrain de football pour qu'il soit à nouveau praticable ! lance Loïc.

— Lève la main s'il te plaît, Loïc, ordonne monsieur Petit. En fait, il s'agit d'un système très coûteux. Et en plus, nous aurions besoin d'un très grand bassin pour arroser le terrain de football.

— Mais... – commence Loïc.

— *Lève* la main, s'il te plaît, Loïc, répète monsieur Petit.

Loïc lève son bras dans les airs.

— Nous pourrions demander à tout le monde de faire une contribution, propose-t-il. À nos parents, par exemple.

— Ce n'est pas aussi simple, Loïc, répond monsieur Petit. On ne peut pas demander de l'argent à n'importe qui comme ça.

Tandis que la discussion se poursuit, Jérémie a tout à coup une idée. Il est d'abord trop gêné pour la dire, mais il est persuadé qu'elle plaira à monsieur Petit.

Et puis, pourquoi pas? Jérémie aime bien monsieur Petit. Il prend donc une grande respiration et lève la main.

— Oui Jérémie, dit monsieur Petit.

— À mon ancienne école, nous avions organisé une collecte de fonds pour construire un nouveau gymnase, explique Jérémie. Nous pourrions peut-être faire la même chose pour acheter le bassin de récupération d'eau.

— C'est une excellente idée! Qu'aviez-vous fait pour amasser des fonds?

— Une exposition d'art, répond Jérémie. Chacun de nous a peint un tableau que nous avons ensuite vendu aux enchères. Cela nous a permis de recueillir beaucoup d'argent.

— C'est fantastique, dit monsieur Petit en se grattant le menton d'un air pensif et réjoui à la fois. Nous pourrions amasser des fonds et acheter un bassin de récupération d'eau pour arroser le terrain de football et les jardins de l'école. Je sens que nous serons heureux de t'avoir dans notre classe, Jérémie. Et je suis certain que les autres enseignants voudront faire participer leurs élèves à ce beau projet.

Jérémie sent ses joues s'enflammer de nouveau, mais il ne baisse pas les yeux cette

fois. Il regarde autour de lui. Plusieurs enfants lui sourient. Il constate qu'il n'a plus mal au ventre du tout.

Il est impatient de tout raconter à Charlotte à la récréation !

Chapitre trois

Lorsque la cloche de la récréation sonne, toutes les chaises râclent le sol en même temps et les enfants se précipitent vers la porte.

— N'oubliez pas vos chapeaux! lance monsieur Petit.

— Hé, veux-tu jouer au basketball avec Mathias, Bruno et moi? demande Loïc en donnant une tape dans le dos de Jérémie.

Ce serait amusant! songe Jérémie en souriant. Mais il pense soudain à Charlotte.

— Hum non, répond Jérémie. Je ne peux pas aujourd'hui. Mais merci pour l'invitation. Je dois aller rejoindre ma sœur.

— D'accord, dit Loïc en tournant les talons. Nous serons au terrain de basket si tu nous cherches.

— Merci ! conclut Jérémie avant de courir rejoindre Charlotte dans sa classe.

Lorsqu'il arrive enfin, il est hors d'haleine.

Charlotte est là avec deux filles qui se mettent à ricaner au moment où elles l'aperçoivent. Jérémie n'a jamais supporté les filles qui rigolent entre elles. Charlotte n'est pas comme ça.

— Salut, dit-il à Charlotte. Tu ne devineras jamais ce que ma classe s'apprête à faire !

— Salut Jérémie ! répond Charlotte en lui souriant. Stéphanie, Maude, je vous présente mon frère, Jérémie.

— Bonjour, lancent les filles en chœur avant de se remettre à ricaner.

Jérémie sent ses joues s'enflammer. Il est sur le point de dévoiler son idée à propos de la collecte de fonds à Charlotte, mais elle place soudain son bras autour de ses épaules et lui ébouriffe les cheveux, comme elle le fait toujours. Elle se tourne ensuite vers les filles.

— Hé, est-ce que Jérémie peut jouer avec nous ?

Jérémie croit qu'il s'agit d'une question idiote. Pourquoi aurais-je besoin d'une permission ? se demande-t-il. Les filles ont toujours des règles et des secrets stupides.

Il ouvre la bouche pour s'adresser à Charlotte, mais une des filles secoue la tête.

— Hum, pas vraiment, répond la fille en grimaçant légèrement.

— Désolée, les garçons ne sont pas admis dans notre club, ajoute l'autre fille.

Jérémie sent le corps de Charlotte se contracter. Il sait qu'elle doit se demander si elle devrait rester avec les filles ou aller avec lui.

Je suis prêt à partir si elles ne veulent pas jouer avec moi, pense-t-il. Mais elles n'ont pas le droit de forcer Charlotte à faire un choix !

Ainsi, avant que Charlotte ait le temps de dire quoi que ce soit, Jérémie répond promptement :

— Ne t'en fais pas. Je suis juste venu te dire bonjour.

Charlotte a l'air étonnée.

— Tu en es certain ? demande-t-elle.

— Ouais. On se voit après l'école, d'accord ? dit-il.

Jérémie se souvient soudain que Loïc lui a proposé de jouer au basketball. Je ne suis pas toujours obligé de jouer avec Charlotte, songe-t-il. Puis il court rejoindre Loïc au terrain de basketball.

✿

Chapitre quatre

Cet après-midi-là, Jérémie rencontre Charlotte devant la porte de l'école. Elle semble heureuse de le voir. Il réalise qu'ils ne se sont pas revus depuis la récréation. Il a passé la journée à s'amuser avec Loïc, Mathias et Bruno, et il n'a guère eu le temps de s'ennuyer de Charlotte !

— Et puis, comment est ta classe ? demande-t-elle.

Elle poursuit sans lui laisser le temps de répondre.

— Étudiez-vous aussi l'environnement? Mon enseignante, madame Demers, dit que les élèves de notre niveau participeront à une collecte de fonds afin d'acheter un bassin de récupération d'eau de pluie pour l'école. Nous monterons une exposition d'art comme nous l'avions fait à notre école. Euh... je veux dire... à notre *ancienne* école.

Jérémie souhaiterait dire à Charlotte que la collecte de fonds était son idée, mais elle continue de parler avec excitation.

— J'ai proposé que nous peignions des portraits, et madame Demers a adoré l'idée. Alors, chacun de nous peindra le portrait d'une personne qui l'inspire. C'est génial, non? La vente aux enchères se tiendra lundi soir prochain. Il faudra qu'on se dépêche!

Jérémie hoche la tête.

— C'était mon...

Puis soudain, leur mère se gare en bordure du trottoir, et Charlotte se met à courir vers la voiture sans même lui laisser le temps de terminer sa phrase.

Pendant le trajet du retour, Jérémie regarde par la vitre tandis que Charlotte et sa mère bavardent à l'avant. Il contemple les rues de son nouveau quartier.

Jérémie s'ennuie de son ancienne maison. Il pense au vieux cheval dans l'enclos au coin de leur rue qui galopait toujours jusqu'à la clôture pour regarder passer l'autobus scolaire. Puis il sourit en se remémorant la blague de chevaux que lui a racontée Loïc à l'heure du dîner. Pourquoi met-on une selle sur un cheval? Parce que si on la met dessous, elle tombe!

Pendant l'heure du dîner, ils se sont raconté plusieurs blagues de chevaux. Quelle est la race du cheval de Dracula? Un pur-sang! Ils ont tellement ri que Loïc a failli s'étouffer avec son sandwich. Jérémie sourit à nouveau. Sa première journée d'école a été formidable.

Leur mère gare la voiture dans l'allée. Jérémie regarde sa mère et Charlotte. Je n'arrive pas à croire qu'elles bavardent encore, pense-t-il. Comment deux personnes peuvent-elles parler autant?

— Hé, Jérémie, l'interpelle Charlotte tandis qu'ils se dirigent vers la porte d'entrée. Veux-tu jouer une partie de Scrabble?

Jérémie est étonné. C'est bizarre, songe-t-il. Charlotte n'aime pas jouer au Scrabble! Normalement, il aurait sauté sur l'occasion. Mais aujourd'hui, il a beaucoup à faire.

— Merci, lui répond-il, mais je vais aller travailler dans ma chambre. J'ai des choses à faire pour demain.

Monsieur Petit leur a demandé, à Loïc et à lui, de créer une banderole pour l'exposition d'art. Jérémie a promis à Loïc de lui apporter des esquisses à l'école le lendemain.

Charlotte le suit dans la maison. Ils déposent leurs sacs à côté de la porte d'entrée, puis se dirigent vers la cuisine.

— Pouvez-vous vous préparer une collation ? crie leur mère. Je dois aller au studio quelques minutes.

— Bien sûr ! réplique Charlotte. Veux-tu que je te prépare un lait au chocolat, Jérémie ?

— Non, ça va, répond Jérémie en poussant une chaise vers le garde-manger afin d'atteindre la tablette du haut. Je peux le faire moi-même.

Lorsqu'il dépose la boîte de poudre au chocolat et un verre sur le comptoir, il voit Charlotte le regarder d'une façon étrange. Oh, devrais-je aussi lui en préparer un ? pense-t-il.

Mais avant qu'il puisse dire quoi que ce soit, elle sort de la pièce en trombe.

Qu'est-ce que j'ai fait? se demande-t-il, perplexe.

✹

Ce soir-là, pendant le souper, leurs parents souhaitent savoir comment s'est passée leur première journée à l'école. Charlotte est anormalement silencieuse. Alors Jérémie leur raconte tout à propos de Loïc et de la collecte de fonds. Mais lorsqu'il regarde Charlotte, elle joue avec ses spaghettis et semble s'ennuyer profondément.

Et puis à l'heure du coucher, elle ne vient pas sauter sur son lit comme elle a l'habitude de le faire. Elle se rend simplement dans sa chambre et ferme la porte.

J'aimerais savoir ce qui ne va pas, réfléchit Jérémie tandis qu'il s'allonge sur son lit. J'espère qu'elle ira mieux demain.

Chapitre cinq

Pendant le trajet pour l'école, le lendemain matin, Charlotte est encore de mauvaise humeur. Jérémie ignore pourquoi elle est aussi en colère. Il s'apprête à lui raconter la blague de chevaux de laquelle Loïc a tant ri le jour précédent, mais il change d'idée en voyant son regard menaçant.

Charlotte décampe aussitôt que leur mère les dépose à l'école.

Jérémie hausse les épaules. Il aperçoit soudain Loïc et les autres garçons sur le terrain de basketball.

— Salut les gars ! crie-t-il en les saluant de la main tandis qu'il court vers eux.

— Salut ! répond Loïc en tapant sa main dans celle de Jérémie.

— Allo ! disent Mathias et Bruno.

Ils font rebondir le ballon entre eux, puis ils s'élancent vers le panier.

— Je te présente Simon et Victor, annonce Loïc en pointant les autres garçons. Je leur disais justement à quel point tu es drôle. Tu es un juke-box à blagues. On va t'appeler D.J.

Jérémie sent son visage brûler de fierté. Il a un surnom ! Il sourit à Loïc.

— C'est cool ! Hé, je me suis souvenu d'une autre blague ce matin, dit Jérémie. Comment appelle-t-on un boomerang qui ne revient pas ?

Loïc hausse les épaules.

— Un bâton ! s'esclaffe Jérémie.

Simon et Victor éclatent également de
rire.

— Vous voyez, je vous l'avais dit ! affirme Loïc aux garçons.

Puis il donne un coup de poing amical sur l'épaule de Jérémie.

— Hé, as-tu pensé à des idées concernant la banderole pour l'exposition d'art ? demande Loïc à Jérémie.

— Ouais, j'ai apporté mon carnet de croquis, répond Jérémie en le tirant de son sac.

Il parcourt les pages pour trouver ses croquis.

— Waouh, c'est cool ! lance Victor en pointant du doigt le croquis où apparaît un dragon qui vole au-dessus d'un château.

La mère de Jérémie lui a montré à dessiner des dragons.

— C'est toi qui as dessiné tout ça ? poursuit Victor.

Jérémie hoche la tête, se sentant soudainement rougir.

— Tu es vraiment doué en dessin, dit Simon avec admiration. Je suis seulement capable de dessiner des voitures.

— Je ne sais rien dessiner, ajoute Victor en roulant les yeux. Pas même une ligne droite !

Les garçons éclatent de rire.

— Ouais, ma mère est peintre, explique Jérémie.

— Cool ! lance Loïc, impressionné.

Jérémie est ravi d'apprendre que ses amis pensent qu'il est cool d'avoir une mère artiste. *Elle est désordonnée et toujours en retard,* songe-t-il. *Mais il est vrai qu'elle m'a appris à dessiner.*

Puis la cloche sonne. Les garçons se dirigent dans leur classe.

— Hé D.J., dit Loïc. Veux-tu venir chez moi cet après-midi pour travailler sur la banderole pour l'exposition d'art? On pourrait demander la permission à ta mère après l'école.

— Bien sûr, répond Jérémie, excité.

Il n'arrive pas à le croire. C'est seulement sa deuxième journée à cette école, et il est déjà invité chez l'un de ses camarades de classe !

✸

— Hé, Loïc, chuchote Jérémie tandis que monsieur Petit écrit au tableau. Comment appelle-t-on un chien qui n'a pas de pattes ?

Loïc hausse les épaules.

— On ne l'appelle pas, on va le chercher ! murmure Jérémie.

Loïc s'étrangle de rire.

— Loïc, dit monsieur Petit en regardant dans leur direction. Pourrais-tu nous donner la réponse ?

— Hum, pas maintenant, répond Loïc en essayant de prendre un air sérieux.

— Je suis ravi que vous ayez autant de plaisir à faire des maths, ajoute monsieur Petit. Mais j'aimerais que vous travailliez en silence à présent.

Jérémie entend Loïc qui essaie de se retenir de rire. Il sait qu'ils devraient se tenir tranquille, mais il souhaite raconter une autre blague à Loïc. Lorsque monsieur Petit se retourne face au tableau, il chuchote :

— Que dit le 0 au 8 ? Tiens, tu as mis ta ceinture !

Loïc s'esclaffe, et Jérémie baisse rapidement la tête sur son cahier.

— Bon, dit monsieur Petit d'un ton sévère. Un autre bruit de ta part, Loïc, et je te change de place.

Loïc lui sourit, mais Jérémie se sent coupable de l'avoir mis dans l'embarras. Je vais me tenir tranquille à partir de maintenant, décide-t-il. Je ne veux pas que Loïc change de place.

Puis Jérémie pense à Charlotte. Je me demande comment elle s'en sort dans sa classe sans moi?

Charlotte et lui chuchotaient souvent dans leur ancienne classe, mais cela ne semblait pas importuner leur enseignant puisque leur travail était toujours terminé à temps. Cela lui a soudainement fait

drôle de ne pas être dans la même classe qu'elle.

— Quelqu'un a trouvé la réponse de la deuxième équation? demande monsieur Petit, interrompant ainsi ses pensées. Jérémie?

Jérémie se sent rougir tandis qu'il baisse rapidement le regard sur son cahier. Il n'est pas très bon en multiplications. Il a trouvé la réponse du premier problème, mais il ignore comment résoudre le second.

Loïc lui souffle la réponse.

Jérémie regarde le calcul, puis les chiffres ont soudainement du sens.

— Quatre-vingt-cinq ! lance-t-il après une seconde de réflexion.

— Excellent ! répond monsieur Petit. Très bien.

Jérémie regarde Loïc. Il a encore la tête baissée sur son cahier, mais Jérémie peut voir qu'il sourit.

— En fait, monsieur Petit, Loïc m'a aidé, dit timidement Jérémie.

— Ah oui ? réplique monsieur Petit en les regardant tous les deux.

Oups, pense Jérémie. J'ai encore mis Loïc dans le pétrin !

— Bien, vous semblez bien travailler ensemble, n'est-ce pas? ajoute monsieur Petit. Vous pouvez garder vos places à la condition que vous travailliez en silence. D'accord?

— Merci monsieur Petit, répond Jérémie en souriant à Loïc.

Chapitre six

Cet après-midi-là, après la leçon de maths, Jérémie et Loïc se précipitent vers la sortie de l'école en courant. Charlotte sort une minute plus tard en haletant.

— Salut Charlotte ! dit Jérémie. Je te présente mon ami Loïc.

— Salut ! répond Charlotte en leur souriant à tous les deux.

Jérémie est heureux de voir Charlotte sourire à nouveau.

— Je m'en vais travailler chez Loïc. On nous a demandé de créer une grande banderole pour l'exposition d'art, lui explique-t-il.

Le sourire sur le visage de Charlotte disparaît subitement.

— Mais maman nous emmène magasiner, tu ne te souviens pas? dit-elle en se renfrognant.

— Pour t'acheter un étui à crayons, souligne Jérémie. Je n'ai pas besoin d'y aller!

Charlotte croise fermement les bras.

— Ça m'étonnerait qu'elle te donne la permission.

— Je vais lui demander quand même, répond Jérémie en haussant les épaules.

Leur mère arrive à ce moment. Charlotte se précipite à la vitre de la voiture.

— Maman, dit Charlotte sur un ton désagréable, Jérémie veut aller chez Loïc, mais on doit aller magasiner, n'est-ce pas?

Leur mère se penche vers la vitre du passager et sourit à Jérémie et Loïc.

— C'est une excellente idée, Jérémie. Tu n'es pas obligé de venir avec nous si tu n'en as pas envie. Je vais vous déposer chez Loïc et m'assurer que sa mère est d'accord.

Au moment où ils montent dans la voiture, Jérémie tente d'attirer le regard de Charlotte. Mais Charlotte observe Loïc qui gratte une gale sur son coude.

Lorsqu'ils arrivent chez Loïc, Charlotte demeure dans la voiture tandis que la mère de Jérémie entre pour discuter avec la mère de Loïc. Jérémie et Loïc se précipitent à l'intérieur, déposent leurs sacs, saluent la mère de Loïc, puis se dirigent vers la cour arrière pour jouer au football.

— Au revoir maman, dit Jérémie lorsque sa mère sort de la maison. Il lui envoie la main en espérant qu'elle ne viendra pas l'embrasser! Il ne veut pas qu'elle le bombarde de baisers devant Loïc.

— Au revoir, trésor, répond-elle. Je vais venir te prendre avant l'heure du souper.

— Ta mère est gentille, dit Loïc. J'ai par contre l'impression que ta sœur ne m'aime pas beaucoup.

— Charlotte est sympathique, le rassure Jérémie. Elle n'est pas comme les autres filles. Elle ne rit pas pour rien et ne s'intéresse pas aux vêtements et à ces choses-là. En fait, elle est plutôt cool. À notre ancienne maison, elle a construit une cabane avec des pièces de bois, des bâtons et des objets qu'elle avait trouvés dans la cour arrière. La cabane a tenu pendant trois jours, jusqu'à ce qu'un orage la détruise.

— Cool, lance Loïc en riant.

— Et une autre fois, elle a attrapé une grenouille dans le ruisseau derrière notre maison, mais maman a eu pitié de la petite bête et nous a demandé de la remettre à l'eau.

— Waouh ! s'exclame Loïc. Vous aviez un ruisseau ?

— Ouais, répond Jérémie. Nous avions un immense terrain avec beaucoup d'arbres. Il y avait parfois des orignaux qui sortaient du bois et qui venaient sur notre terrain.

— C'est génial ! dit Loïc. Nous n'avons pas d'orignaux, mais nous avons un chien.

Au même moment, un gros chien de couleur chocolat s'élance vers Loïc. Il se met à sautiller et à lui lécher le visage.

— Hé Milo! Milo, *assis*! Milo, voici mon ami D.J., dit Loïc en tenant une de ses pattes pour que Jérémie puisse lui donner une poignée de main.

Jérémie serre la patte de Milo. Milo aboie et lèche le visage de Jérémie.

— Hé, je ne suis pas un cornet de crème glacée! plaisante-t-il.

— Il t'aime bien, affirme Loïc. Je savais qu'il t'aimerait.

— Ton chien a du goût, dit Jérémie en souriant.

— Tu goûtes peut-être *réellement* la crème glacée, rigole Loïc. Saveur de vanille?

— Aux pépites de chocolat, s'esclaffe Jérémie en pointant ses taches de rousseur.

❋

Chapitre
❋ sept ❋

L'après-midi passe très rapidement. Jérémie et Loïc jouent au football avec Milo. La cour de Loïc n'est pas très grande, et Loïc dit que son frère et lui ont déjà envoyé une dizaine de ballons par-dessus la clôture ce mois-ci. Milo est un bon milieu de terrain. Tout ce qu'on peut lui reprocher, c'est de baver sur le ballon.

Quelques instants avant qu'il soit l'heure pour Jérémie de partir, la mère de Loïc leur apporte de la limonade et s'assoit avec eux, à l'ombre. Jérémie transpire tellement que ses yeux picotent. Il a oublié son chapeau à l'école et a dû emprunter un chapeau à larges bords tombants au père de Loïc.

Il remarque que ses bras sont très rouges. Il sait que sa mère le réprimandera pour ne pas s'être protégé du soleil.

— Alors, Jérémie, est-ce que tu t'adaptes bien à ta nouvelle vie? demande la mère de Loïc. Le meilleur ami de Loïc est déménagé l'année dernière. C'est bien que vous soyez devenus copains. Tu sembles avoir une bonne influence sur Loïc.

Jérémie rougit. Elle ne penserait pas ça si elle savait le nombre de fois que j'ai mis Loïc dans le pétrin! Puis Jérémie se souvient soudain de ce qu'ils étaient supposés faire plutôt que de jouer au football.

— La banderole pour l'exposition d'art! s'exclame Jérémie. Nous ne l'avons même pas commencée et ma mère va bientôt venir me chercher!

— Oh non! dit Loïc en se frappant le front. Je n'arrive pas à croire qu'on a oublié de s'en occuper!

— Pourquoi ne viendrais-tu pas passer la fin de semaine ici? propose la mère de Loïc. Ainsi, vous aurez amplement le temps de travailler sur ce projet ensemble.

— Ouais, approuve Loïc. Puis nous pourrions aller botter le ballon au terrain de soccer!

— Et faire la banderole pour l'exposition d'art, lui rappelle sa mère.

— *Après* que nous aurons terminé la banderole, dit Loïc en riant.

— Cool! s'exclame Jérémie, malgré que la proposition l'énerve un peu.

Il n'a jamais dormi ailleurs sans Charlotte auparavant. Ils faisaient tout ensemble lorsqu'ils habitaient à la campagne.

— Je vais demander la permission à maman quand elle va arriver.

— La voilà justement, souligne la mère de Loïc avant de traverser la maison pour lui ouvrir la porte. Loïc, indique à Jérémie où se trouve salle de bains pour qu'il puisse nettoyer la bave de Milo sur ses mains et son visage ! Je vais parler à ta mère de notre idée pour cette fin de semaine, Jérémie.

Jérémie se lave le visage. Ses joues criblées de taches de rousseur sont roses à cause du soleil, mais elles ne sont heureusement pas brûlées.

Tandis qu'il se regarde dans le miroir, il lui vient soudain une idée pour le portrait qu'il doit peindre pour l'exposition d'art.

Il longe le corridor en courant pour aller rejoindre sa mère. Il a tant de choses à raconter à Charlotte. Il espère qu'elle n'est pas *encore* fâchée contre lui !

Chapitre
huit

Cette semaine-là, Jérémie et Loïc s'assoient un à côté de l'autre tous les jours. Comme Loïc est doué pour les maths et que Jérémie a de la facilité en anglais, ils s'entraident. Ils se racontent encore des blagues, mais cela n'importune pas monsieur Petit tant qu'ils ont de bons résultats. En fait, il s'approche même parfois pour entendre leurs blagues !

— Raconte-nous une blague, Jérémie, dit un jour monsieur Petit en souriant.

— Que dit la grenouille à son petit qui rentre tard ? dit Jérémie.

Monsieur Petit hausse les épaules.

— Je ne sais pas Jérémie, d'aller se coucher ?

— Non, répond Jérémie. Dis donc, t'es tard !

J'adore raconter des blagues !

Tout le monde dans la classe, y compris monsieur Petit, éclate de rire.

Monsieur Petit les laisse parfois travailler sur le portrait qu'ils doivent peindre pour l'exposition d'art. Loïc peint le portrait de son joueur de hockey préféré. Jérémie remarque que ses camarades peignent le portrait de leurs parents ou de leurs animaux de compagnie. Il prend bien soin de ne pas dévoiler le visage de la personne qu'il peint. Il veut s'assurer que personne ne devinera de qui il s'agit.

— Je parie que tu peins mon portrait, s'amuse à dire Loïc. Je suis la personne qui t'inspire le plus, n'est-ce pas ? Cool ! Jeune homme de belle apparence, bon au basket-ball et au football. C'est moi, non ? Hein ? Hein ?

Loïc tente même de faire parler Jérémie en lui révélant quelle personnalité il peint. Mais Jérémie ne se laisse pas prendre au piège.

Il sourit timidement.

— Tu le découvriras lundi soir !

❋

Cette fin de semaine-là, la mère de Jérémie le conduit chez Loïc. Jérémie commence à se sentir nerveux. Et si je devais manger de la nourriture que je n'aime pas ? Et si je faisais un cauchemar ? Il est certain que Charlotte ne s'inquiète pas à propos de ces choses-là quand elle dort ailleurs.

— Je devrais peut-être seulement passer la soirée chez Loïc, propose Jérémie tandis qu'il sort de la voiture. Tu pourrais venir me chercher avant l'heure du souper?

— Ne t'inquiète pas, mon chéri, tu auras du plaisir, le rassure sa mère. Et si tu ne te sens pas bien, tu n'as qu'à me téléphoner, et je viendrai te chercher. D'accord?

— D'accord, dit Jérémie, perplexe.

Ils sonnent à la portent, puis Jérémie entend Milo aboyer bruyamment. Loïc se présente à la porte en retenant Milo par son collier. Jérémie commence à se sentir mieux lorsqu'il aperçoit le sourire taquin sur le visage de Loïc.

— Hé Milo – si tu me manges au complet maintenant, il ne te restera plus rien pour souper! plaisante Jérémie tandis que Milo sautille sur lui et lui lèche le visage.

— Tu pourrais être sa collation, ajoute Loïc. En plus de toutes ces gâteries à la viande!

— Bye maman! crie Jérémie en se dirigeant vers la cour arrière avec Loïc et Milo.

— Football? suggère Loïc.

— Nous serions mieux de faire d'abord la banderole pour l'exposition d'art, suggère Jérémie. J'ai noté quelques idées dans mon carnet de croquis.

Et j'ai également apporté mon portrait, pense-t-il. Au cas où Charlotte déciderait d'aller mettre son nez dans ma chambre. Il ne veut pas que Loïc le voie non plus, alors il le laisse dans son sac.

Cet après-midi-là, les garçons travaillent d'arrache-pied sur la banderole pour l'exposition d'art. Ils ont beaucoup de plaisir, et il fait presque nuit lorsqu'ils la terminent.

— Ça alors ! Je savais que Loïc dessinait bien, lance le père de Loïc. Mais tu as également beaucoup de talent, Jérémie.

— Sa mère est peintre, dit Loïc en hochant la tête. Elle a montré à dessiner à D.J.

— Ah, ça explique tout, répond le père de Loïc.

Jérémie n'a pas à s'inquiéter à propos de la cuisine de la mère de Loïc puisqu'ils se font livrer une pizza hawaïenne, sa préférée. Ils ont aussi la permission de veiller pour regarder une comédie sur DVD.

Jérémie est excité lorsqu'il aperçoit les deux sacs de couchage sur le sol de la chambre de Loïc. Ils vont pouvoir faire semblant qu'ils font du camping! Et même si ça prend des lunes à Jérémie à s'endormir, cela ne l'inquiète pas. La respiration de Loïc dans la noirceur lui rappelle le temps où il partageait sa chambre avec Charlotte à leur ancienne maison.

Par contre, lorsque Jérémie finit par s'endormir, il fait le rêve le plus bizarre qu'il ait jamais fait. Dans son rêve, lorsqu'il se regarde dans le miroir, il voit le visage de Charlotte plutôt que le sien.

Chapitre neuf

Le lendemain matin, Jérémie et Loïc ont droit à du bacon et des œufs pour le déjeuner. Loïc inonde ses œufs de sirop d'érable. Jérémie l'imite. C'est délicieux !

Puis le père de Loïc les conduit au terrain de soccer. Le frère de Loïc, Zachary, et Milo les accompagnent. Ils jouent au soccer ensemble jusqu'à l'heure du dîner.

La mère de Loïc ramène Jérémie chez lui le dimanche après-midi. Jérémie est excité de revoir Charlotte et de lui raconter sa fin de semaine. Mais je vais d'abord devoir filer en direction de ma chambre afin qu'elle ne voie pas mon portrait, réfléchit-il. C'est ultrasecret !

Lorsque Jérémie ouvre la porte d'entrée, Charlotte l'attend de pied ferme.

— Salut. Alors, qu'est-ce que tu as fait chez Loïc ? l'interroge-t-elle en le suivant dans le corridor.

— Hum, rien de particulier, répond-il.

Il aimerait lui raconter sa fin de semaine, mais il doit commencer par cacher son portrait.

Charlotte le devance et s'installe au pied de l'escalier pour lui bloquer la voie.

— Vous avez sûrement fait quelque chose d'intéressant, insiste-t-elle. À quoi avez-vous joué ?

— Peux-tu me laisser passer s'il te plaît ? dit Jérémie. Je dois aller dans ma chambre.

Il repousse Charlotte pour pouvoir monter l'escalier.

— Je te parle ! hurle Charlotte. Ce n'est pas très gentil de m'ignorer !

— Ohé, vous deux! les avertit leur père du salon. Je vous interdis de crier.

Jérémie se sent soudainement fâché. Il monte à sa chambre et claque la porte. Il a le pressentiment que Charlotte est entrée dans sa chambre. Il examine la pièce de fond en comble. Elle est entrée dans ma chambre, pense-t-il en secouant sa tête. J'ai laissé ce tiroir ouvert hier, et il est maintenant fermé. Heureusement que j'ai apporté mon portrait avec moi!

Il prend son portrait enroulé et s'apprête à le cacher lorsque Charlotte se met à frapper à sa porte.

— Tu ne peux pas entrer! crie Jérémie en glissant son portrait sous son lit le plus vite possible.

— Si, je le peux! aboie Charlotte en poussant la porte.

— Ce n'est *pas* juste! crie Jérémie en se relevant précipitamment. On n'a pas le droit d'entrer dans la chambre de l'autre sans sa permission. C'est *toi* qui as inventé cette règle, et maintenant, c'est *toi* qui l'enfreins! C'est ma chambre!

Charlotte s'avance en le regardant d'un air méfiant.

— Tu me caches quelque chose! lance-t-elle. Loïc et toi avez fait quelque chose de mal, n'est-ce pas?

— Ça ne te regarde pas! hurle Jérémie. Et pourquoi est-ce qu'on aurait fait quelque chose de mal? Tu ne *connais* même pas Loïc. Tu ne veux plus me parler, et maintenant que j'ai un ami, tu dis du mal de lui!

— Les enfants, pourquoi criez-vous? demande leur père du pied de l'escalier.

— On est désolés, papa, répond Charlotte. Pourquoi dis-tu que je ne veux plus te parler? C'est toi qui te sauves toujours de moi, qui te terres dans ta chambre et qui es toujours rendu chez Loïc!

— Tu ne veux pas te tenir avec moi, tu ne te souviens pas? dit Jérémie, encore fâché. Tu voulais que je me fasse mes propres amis. Et en plus, tes amies ont bien dit que les garçons ne sont pas admis dans votre club! J'ai d'ailleurs essayé de te parler à plusieurs reprises cette semaine, mais tu ne m'écoutais jamais.

Il se sent coupable d'avoir crié après Charlotte en voyant sa mine déconfite. Elle a soudainement l'air très triste.

— Je m'excuse, dit doucement Charlotte. Tu as raison. J'ai cru que tu ne voudrais plus te tenir avec moi maintenant que tu as Loïc. Et tu m'as manqué — c'était tellement ennuyant cette fin de semaine sans toi.

Jérémie n'en croit pas ses oreilles !

— C'est vrai ? Tu m'as aussi manqué. J'avais peur de faire un cauchemar et que tu ne sois pas là pour me rassurer.

— Je suis désolée, petit frère, dit Charlotte avec un sourire timide.

Puis elle lui ébouriffe les cheveux.

— Tu aurais peut-être dû demander à Loïc qu'il m'invite aussi.

Jérémie lui tire la langue.

— Et pourquoi est-ce qu'on ne dormirait pas dans la même chambre ce soir, comme avant ? propose Charlotte. Tu pourrais installer ton matelas par terre, près de mon lit. Je te rappelle aussi, dit-elle avec fébrilité, que ça fait une éternité qu'on ne s'est pas fait un festin de minuit.

Jérémie secoue la tête.

— Oh, je ne sais pas, dit-il sur un ton sérieux.

L'expression sur le visage de Charlotte s'assombrit.

— Ça m'étonnerait que mon matelas entre dans ta chambre — elle est bien trop en désordre ! Viens plutôt dans ma chambre.

Chapitre
dix

Le lundi soir a lieu l'exposition d'art. Jérémie enfile son chandail jaune porte-bonheur. Il est nerveux, mais il est heureux de s'être réconcilié avec Charlotte. Il espère qu'elle aimera son portrait.

Je me demande quel portrait elle a peint, réfléchit Jérémie en se préparant. J'étais tellement préoccupé de cacher le mien que j'ai oublié de chercher à voir le sien !

Charlotte entre dans sa chambre sans frapper, mais ça lui est égal cette fois-ci. Elle s'assoit sur son lit et le regarde coiffer ses cheveux en bataille.

Du coin de l'œil, Jérémie aperçoit Charlotte qui joue avec son bracelet. Jérémie peut deviner qu'elle est nerveuse.

Elle veut me dire quelque chose, pense-t-il. Elle croit peut-être que ma coiffure est à faire peur.

— Tu vas porter ce chandail-là? demande Charlotte en sourcillant.

— Ouais, j'avais envie de porter mon chandail porte-bonheur puisqu'il s'agit d'une soirée spéciale, répond Jérémie en essayant de remettre en place quelques mèches de cheveux rebelles à l'aide de sa salive. Ce serait bien si l'exposition d'art nous permettait d'amasser suffisamment d'argent pour acheter un bassin de récupération d'eau, non?

Charlotte pousse un soupir.

— Tu sais, Jérémie, la couleur jaune ne va pas bien aux roux.

— Vraiment? répond Jérémie en se regardant dans le miroir.

Il ne voit pas où est le problème.

— C'est juste que, tu sais, avec tes cheveux roux et ton teint pâle... bien, cet amalgame de couleurs vives est joli sur une toile, mais pas sur une personne.

— Oh ! s'exclame Jérémie, surpris.

J'aime bien ces couleurs, pense-t-il. Mais j'imagine qu'elle connaît plus la mode que moi. Il hausse les épaules et commence à se dévêtir. Je vais porter mon chandail bleu, dans ce cas.

Ça ne le dérange pas. Il ne veut pas faire honte à Charlotte, surtout qu'ils sont redevenus amis !

Puis Charlotte se redresse et lui dit :

— En fait, Jérémie, porte-le. On a des goûts différents, c'est tout !

— Tu en es certaine ? répond Jérémie en se regardant à nouveau dans le miroir.

Il est indécis.

— Bon, c'est mon chandail porte-bonheur mais...

— Tu sais quoi ? s'esclaffe-t-elle. Tu es tellement démodé que ça en est cool !

Jérémie ignore s'il s'agit d'un compliment ou d'un reproche. Il secoue la tête et remet son chandail jaune. C'est à n'y rien comprendre !

Pourquoi cherche-t-elle à être aussi cool, de toute façon ? se demande-t-il. On dirait qu'elle veut ressembler à tout le monde, sauf à moi !

— Je me moque réellement d'être cool ou non, dit-il à Charlotte. Je préfère que mes amis me trouvent drôle plutôt que cool.

Charlotte lui lance un regard étrange. Puis elle saute du lit et serre fortement Jérémie dans ses bras.

— Tu es le meilleur! dit-elle en lui ébouriffant les cheveux.

— Hé! lance-t-il. Tu me décoiffes!

— Coiffe-les de cette façon! dit Charlotte par-dessus son épaule tandis qu'elle sort de la chambre de Jérémie. C'est à la mode!

Jérémie regarde dans le miroir. Puisque Charlotte l'a décoiffé une fois de plus, il ne parviendra probablement pas à les replacer à temps. Il fait une grimace devant le miroir, et il descend l'escalier en courant afin de s'assurer que sa mère n'est pas en retard.

❋

Jérémie, Charlotte et leurs parents arrivent devant l'école. Ils sont en retard, comme d'habitude, et le stationnement est bondé.

— On dirait que toute la ville s'est donné le mot! dit leur père en roulant lentement à la recherche d'un espace libre. Vous devriez être en mesure d'acheter votre bassin de récupération d'eau, les enfants!

— Vous êtes anormalement tranquilles, vous deux, affirme leur mère en se retournant vers la banquette arrière. Vous n'êtes pas en chicane, non?

Charlotte saisit la main de Jérémie et la serre. Il lui sourit. Jérémie sait que Charlotte est aussi énervée que lui. Il sait exactement comment elle se sent. C'est l'aspect le plus intéressant d'avoir un jumeau. Il croyait qu'ils deviendraient plus indépendants en vieillissant, mais il sait maintenant qu'ils sont plus proches que jamais.

— Bon, nous y voilà! lance leur père en se garant dans un espace restreint. Vous savez, je n'ai pas encore vu vos portraits, dit-il. Et toi? demande-t-il à leur mère.

— Personne ne les a encore vus, répond leur mère. C'est un secret. J'ai demandé aux enfants qui ils peignaient, et ils n'ont pas voulu me le dire. Ils ne se le sont même pas dit l'un à l'autre !

— Vraiment ? glousse leur père. C'est une première ! Ils se disent normalement tout.

Bien, peut-être pas tout, pense Jérémie. Nous sommes jumeaux, mais nous sommes deux personnes bien distinctes.

Charlotte regarde Jérémie et sourit. Il sait qu'elle pense la même chose que lui.

À l'intérieur, Jérémie rejoint monsieur Petit et le présente à ses parents. Jérémie souhaite avoir de bons sièges, mais ses parents n'arrêtent pas de parler avec monsieur Petit. Jérémie s'étire le cou pour trouver Loïc, mais il ne le voit nulle part. Il doit déjà s'être trouvé un bon siège dans l'amphithéâtre ! songe-t-il.

Ils sont presque arrivés dans l'amphi-théâtre lorsque Jérémie aperçoit Stéphanie et Maude s'avancer vers eux. Oh non, pense Jérémie. Je souhaitais vraiment m'asseoir à côté de Charlotte. Elle voudra pro-bablement aller rejoindre les filles de son club où «les gars ne sont pas admis».

Il entend soudain sa mère demander à Charlotte si elle désire s'installer avec ses amies.

— Non, c'est bon, répond Charlotte. Je crois que je vais m'asseoir à côté de Jérémie ce soir!

Jérémie n'en croit pas ses oreilles! Il est si heureux qu'il ne peut plus arrêter de sourire.

GO GIRL!

Les 2 côtés
DE LA MÉDAILLE

La version de Charlotte!

EH Héritage jeunesse

Go girl!
Les 2 côtes
DE LA MÉDAILLE

Double défi

PAR
SALLY RIPPIN

TRADUCTION DE **VALÉRIE MÉNARD**
RÉVISION DE **GINETTE BONNEAU**

ILLUSTRATIONS DE **SONIA DIXON**
INFOGRAPHIE DE **DANIELLE DUGAL**

Héritage jeunesse

Chapitre
* un

— Allez! lance la mère de Charlotte. C'est l'heure de partir!

Charlotte descend en courant l'escalier en façade de leur nouvelle maison. C'est sa première journée dans sa nouvelle école. J'ai hâte de rencontrer les élèves de ma classe! pense-t-elle. Elle frétille d'excitation en dévalant les marches jusqu'à la voiture. Elle devance son jumeau, Jérémie, de quelques secondes.

— J'ai *encore* gagné ! Tu dois courir plus vite, petit frère, plaisante Charlotte.

Bien qu'ils soient jumeaux, Charlotte est née quatre minutes avant Jérémie, et

mesure cinq centimètres de plus que lui. En ce qui la concerne, elle est la grande sœur. Il s'agit d'une très bonne excuse pour taquiner son *petit* frère Jérémie à sa guise.

— On dirait que c'est encore moi qui m'assois à l'avant! dit-elle en souriant.

— Allez les enfants, les presse leur mère. Montez tous les deux à l'arrière.

— Mais toutes tes toiles sont encore là! rouspète Jérémie.

— Oh! j'ai oublié, répond leur mère. Et nous n'avons pas le temps de les sortir. Assois-toi à l'avant, Charlotte. Jérémie, s'il te plaît, repousse tout ça sur le plancher. Tu es un amour.

Charlotte rigole. Elle aime bien que la voiture soit en désordre. Sur le plancher sont éparpillés des pinceaux, des bâtons,

des coquillages et toutes sortes d'objets que sa mère s'amuse à recueillir. Charlotte est fière que sa mère soit une artiste. Elle est différente des autres mères, avec ses jupes délicates et ses longs cheveux.

En fait, Charlotte aurait préféré avoir les cheveux foncés et le teint olivâtre de sa mère. Mais son frère et elle ont plutôt hérité des cheveux roux, du teint pâle et des taches de rousseur de leur père.

Au moins, mes cheveux sont lisses, pense Charlotte, et non pas rebelles comme ceux de Jérémie.

Elle se retourne et regarde Jérémie sur la banquette arrière avec ses cheveux en bataille et ses grandes oreilles. Nous sommes si différents l'un de l'autre, songe Charlotte.

Jérémie est doué en anglais alors que Charlotte préfère les maths et les sciences. Jérémie est discret et timide. Il ne veut rien faire sans Charlotte, mais Charlotte adore rencontrer des gens. Chacun possède sa chambre dans leur nouvelle maison. Par contre, ils partageaient la même chambre dans leur ancienne maison. Tous les livres et les jouets de Jérémie étaient rangés impeccablement, tandis que les effets de Charlotte traînaient partout!

Je suis heureuse que nous soyons dans deux classes séparées, pense Charlotte. Leur ancienne école était tellement petite qu'ils n'avaient pas le choix d'être dans la même classe. Ils s'assoyaient toujours ensemble et ils avaient les mêmes amis. Elle espère que Jérémie saura se faire ses propres amis à

leur nouvelle école. Je veux qu'on m'appelle Charlotte, réfléchit-elle. J'en ai assez qu'on me reconnaisse comme étant l'un des jumeaux.

✱

Chapitre
deux

À leur arrivée à l'école, Charlotte se dirige dans sa classe avec sa mère, puis rencontre sa nouvelle enseignante, madame Demers. Jérémie attend sa mère dans le corridor. Madame Demers plaît instantanément à Charlotte. Elle est si jolie! pense-t-elle tandis qu'elles discutent.

Jérémie se rend ensuite dans sa classe avec sa mère. Charlotte reste debout à

l'avant de la classe pendant que madame Demers s'adresse à ses élèves.

— Bon retour, les enfants! dit madame Demers. J'espère que vous avez tous passé de bonnes vacances?

Charlotte observe la classe. Les élèves bavardent entre eux avec enthousiasme. Elle aperçoit quelques filles dont le style

lui plaît. Je me demande laquelle est drôle, laquelle est sympathique et laquelle parle au téléphone durant des heures. Elle sourit à une fille qui semble très gentille. La fille lui rend son sourire.

— Silence, s'il vous plaît, ordonne madame Demers. Vous aurez amplement le temps de bavarder plus tard. J'aimerais vous présenter notre nouvelle élève, Charlotte Grenier. Je suis certaine que vous l'accueillerez chaleureusement.

Charlotte sent ses joues s'enflammer et des petits papillons d'excitation voleter dans son ventre.

— Pourrais-je avoir deux volontaires pour veiller sur Charlotte jusqu'à ce qu'elle soit à l'aise parmi nous? demande madame Demers.

Plusieurs enfants lèvent la main, mais madame Demers désigne les deux filles qui ont souri à Charlotte quelques instants plus tôt : celle qui est coiffée d'une queue de cheval ainsi que son amie, qui est assise à ses côtés.

— Ah, Maude et Stéphanie ! Merci les filles.

Le cœur de Charlotte bondit dans sa poitrine. Elle envoie un sourire de reconnaissance à madame Demers. C'est tellement excitant de se faire de nouveaux amis. Cependant, elle pense toujours à Jérémie lorsqu'ils ne sont pas ensemble. Elle espère qu'il pourra également compter sur des élèves de sa classe pour veiller sur lui.

Madame Demers pousse doucement Charlotte en direction des filles.

— Simon, pourrais-tu bouger d'une place pour que Charlotte puisse s'asseoir à côté de Maude? Merci. Bon, jetons maintenant un coup d'œil à ce que nous allons étudier durant l'étape.

Charlotte se fraie un chemin à travers les bureaux afin d'aller rejoindre Maude et Stéphanie qui s'affairent à lui nettoyer une place. Elles sourient, puis se rassoient.

— Salut! lance la fille à la queue de cheval. Je m'appelle Maude. Et voici Stéphanie. On adore tes cheveux!

Charlotte touche ses cheveux, étonnée. Stéphanie a dû apercevoir l'expression sur son visage, puisqu'elle ajoute:

— Ouais, le blond vénitien est une très belle couleur.

— Le blond vénitien et les taches de rousseur sont tellement tendance ! rigole Maude.

Charlotte ne peut s'empêcher de paraître surprise. Les cheveux roux et les taches de rousseur ? se demande-t-elle. Est-ce que c'est une blague ? Elle regarde les filles d'un air hésitant. Elles sourient. Tout porte à croire qu'elles sont sérieuses.

Charlotte n'aime pas beaucoup ses cheveux. Ils sont si différents de ceux de ses amies. Mais on ne lui a jamais dit qu'ils étaient blond vénitien auparavant ! Ses cheveux lui semblent soudain plus attrayants.

Elle a l'impression que son visage est sur le point de craquer tellement elle sourit.

— Merci, répond-elle, se sentant anormalement gênée. J'aime les vôtres, aussi. À toutes les deux.

— OK les filles, les avertit gentiment madame Demers à l'avant de la classe. Vous aurez amplement le temps de faire connaissance pendant la récréation. Bon, qui peut m'indiquer quel sera notre projet pour cette étape-ci ? Vous vous souvenez ? Nous en avons discuté lors de la dernière réunion de l'année...

Il y a un silence, puis quelques murmures. Un garçon lève finalement la main.

— Oui, Émile ?

— Les planètes ?

— Non, c'était le projet de la dernière étape. Mais bien essayé, Émile. Quelqu'un d'autre ? Non ? Bien, je vais vous le dire.

Charlotte regarde madame Demers écrire de grosses lettres sur le tableau.

L'environnement

À son ancienne école, ils discutaient souvent à propos de l'environnement. Elle aura certainement beaucoup d'idées !

— Est-ce que quelqu'un peut me nommer certains soucis environnementaux ? demande madame Demers en regardant à la ronde.

J'ai une idée !

Charlotte lève rapidement la main. Elle souhaite faire bonne impression à sa première journée.

— Oui, Charlotte? demande madame Demers.

— Le réchauffement de la planète? propose Charlotte.

— Excellent! C'est d'ailleurs exactement ce que nous étudierons durant l'étape — qu'est-ce que le réchauffement planétaire, et comment affecte-t-il nos vies. Merci, Charlotte.

— Je suis vraiment contente que tu sois assise avec *nous*, chuchote Maude.

Charlotte rayonne de joie. Elle espère que la classe de Jérémie étudie le même sujet. Elle doit se rappeler de le lui demander à la récréation.

— D'accord, écoutez-moi attentivement, ordonne madame Demers. J'aimerais que vous formiez des groupes de trois ou quatre, puis que vous trouviez des solutions pour protéger l'environnement. Il existe bien sûr des solutions globales, mais pensez aussi aux petits gestes quotidiens que nous pouvons faire.

— Comme éteindre la lumière lorsque nous quittons une pièce ? propose Charlotte qui a levé la main à nouveau.

— C'est exactement ce à quoi je pensais. À présent, dressez une liste avec votre groupe, puis nous comparerons les idées à la fin de l'exercice.

Charlotte sort un cahier de notes neuf de son sac et un crayon aiguisé à point de son vieil étui en tissu. Lorsqu'elle relève

la tête, Stéphanie et Maude ont toutes les deux les yeux rivés sur elle. Puis, elles se regardent l'une et l'autre en haussant les épaules.

— Devrait-on lui demander? dit Maude.

— Ouais, absolument, répond Stéphanie.

— Me demander quoi? les interroge Charlotte qui se sent soudainement nerveuse.

— Bien, nous avons décidé que tu pourrais faire partie de notre club, propose Stéphanie.

— Ouais, pour vrai. Tu as l'air vraiment sympathique, ajoute Maude.

— Hum, d'accord. Merci! répond Charlotte en leur souriant.

Puis elle remarque soudain que Maude et Stéphanie possèdent chacune un étui rose

avec des brillants. Elle s'empresse de ranger le sien. Elle souhaitait se procurer un nouvel étui à crayons mais, avec le déménagement,

elle n'a pas encore eu l'occasion de le demander à sa mère.

Je me demande si je pourrais en avoir un neuf? se demande-t-elle. Ce serait bien d'avoir le même que mes nouvelles amies. J'aurais alors VRAIMENT l'impression de faire partie de leur club !

— Et tu possèdes un joli prénom, ajoute Maude.

Eh bien, je ne leur avouerai pas que mon prénom est inspiré d'une célèbre peintre ! pense Charlotte en se retenant de rire.

— OK les filles, il faut travailler à présent, dit madame Demers qui vient de surgir derrière elles.

Charlotte sursaute. Elle s'en veut de ne rien avoir écrit sur sa feuille. Elle ne souhaite

pas que madame Demers pense qu'elle est une mauvaise élève! Elle regarde Stéphanie et Maude. Elles n'ont même pas encore ouvert leurs cahiers.

— Voulez-vous que je commence à écrire des idées? demande Charlotte.

— Bien sûr, dit Stéphanie. Premier geste : éteindre les lumières. Qu'en pensez-vous?

— C'était l'idée de Charlotte! s'exclame Maude en lui donnant un coup de coude.

— Ça va, répond Charlotte en se remémorant tous les trucs pour protéger l'environnement qu'elle a appris à son ancienne école. On peut ajouter plusieurs choses, par exemple abaisser la température du thermostat.

— Et prendre son vélo pour se rendre à l'école, propose Stéphanie.

— Ou bien réparer un robinet qui fuit ?
Nous en avons un à la maison, dit Maude.

— C'est génial ! Nous avons un tas de
bonnes idées, dit Charlotte au fur et à
mesure qu'elle les retranscrit.

La première journée d'école de Charlotte se déroule exactement de la façon dont elle l'avait espéré. Elle s'amuse et se fait de nouvelles amies. Elle est impatiente de tout raconter à Jérémie à la récréation !

❀

Chapitre
trois

Charlotte dépose son crayon au moment où la cloche sonne.

— Bien, lance madame Demers. Nous poursuivrons après la récréation. N'oubliez pas vos chapeaux!

— Viens, dit Stéphanie. On va te faire découvrir les environs.

— Ouais, ajoute Maude. Tu dois savoir quels garçons sont bien et lesquels sont à éviter à tout prix!

— Merci, répond Charlotte tandis que les filles quittent la classe. Et je vous présenterai mon frère ju... !

Elle s'apprête à dire « jumeau » lorsqu'elle se souvient qu'elle ne veut plus être connue comme « l'un des jumeaux ».

Jérémie arrive soudainement en courant, le sourire fendu jusqu'aux oreilles. Charlotte ne peut se retenir de rire en apercevant son air taquin.

— Hé, tu ne devineras jamais ce que ma classe s'apprête à faire ! s'exclame Jérémie à bout de souffle, après avoir traversé la cour de récréation en courant.

— Salut Jérémie ! répond Charlotte en lui souriant. Stéphanie, Maude, je vous présente mon frère, Jérémie.

Je vous présente mon frère!

— Bonjour, disent les filles en chœur avant de se mettre à ricaner.

Charlotte ne souhaite pas vraiment être avec Jérémie, mais elle a un peu pitié de lui puisqu'il est seul pour sa première journée d'école.

— Hé, est-ce que Jérémie peut jouer avec nous? demande-t-elle à Stéphanie et à Maude.

Elle passe son bras autour des épaules de Jérémie et lui ébouriffe les cheveux de l'autre main. Jérémie replace systématiquement ses cheveux avec ses deux mains, comme il a l'habitude de le faire.

Stéphanie et Maude s'échangent des regards. Après un certain temps, Charlotte aperçoit Stéphanie secouer doucement la tête. Charlotte sent ses joues s'enflammer.

Stéphanie prend la parole.

— Hum, pas vraiment, dit-elle en grimaçant légèrement.

— Désolée, les garçons ne sont pas admis dans notre club, ajoute Maude.

L'estomac de Charlotte se resserre. Elle sent les épaules de Jérémie glisser sous son bras avant même qu'elle se tourne vers lui. Charlotte regarde ensuite Maude et

Stéphanie. Maude fait maladroitement tournoyer sa queue de cheval et Stéphanie fixe le terrain de jeux au loin pour éviter de croiser son regard.

Charlotte sait qu'elle doit choisir entre ses nouvelles amies et son frère. Elle se sent soudainement en colère contre Jérémie. Pourquoi devrais-je me sentir coupable ? pense-t-elle. J'ai la chance de me faire de nouvelles amies. Jérémie n'a qu'à se faire ses propres amis.

Tandis qu'elle s'apprête à se retourner pour le lui dire, Jérémie répond :

— Ne t'en fais pas. Je suis juste venu te dire bonjour.

Charlotte regarde Jérémie d'un air étonné. Il s'est déjà dégagé de sous son bras.

— Tu en es certain ? demande-t-elle.

— Ouais. On se voit après l'école, d'accord ?

Jérémie part à courir sans regarder derrière lui.

Charlotte le regarde partir. Il n'a même pas l'air fâché, pense-t-elle.

— Allons nous asseoir à notre endroit préféré. Il fait déjà très chaud ! dit Stéphanie.

— Ouais, approuve Maude. Il doit faire 30 degrés ! Hé regardez ! C'est Mathias qui joue au basketball.

Les deux filles ricanent.

— Il plaît bien à Maude ! confie Stéphanie à Charlotte.

— Ce n'est *pas* vrai ! réplique Maude en fronçant les sourcils. Je trouve simplement qu'il est bon au basketball, c'est tout.

Charlotte suit les filles jusqu'à un banc situé sous un arbre. C'est agréable d'être à l'ombre. Elle n'a pas envie d'avoir plus de taches de rousseur! Mais, pendant qu'elles s'installent sur le banc, Charlotte ne peut détacher son regard de Jérémie. Il s'amuse avec quelques garçons au terrain de basketball.

Une partie d'elle-même se sent bizarre sans lui. À leur ancienne école, ils étaient toujours ensemble. Il est maintenant temps pour tous les deux de nous faire nos propres amis, se remémore-t-elle.

Elle se souvient soudain qu'elle n'a pas écouté ce qu'il avait à dire! Elle se sent si coupable qu'elle décide de se reprendre après l'école. Elle lui préparera un lait au chocolat spécial avec beaucoup de poudre,

comme il les aime. Et nous pourrions également jouer une partie de Scrabble,
pense-t-elle, puisqu'il aime ce jeu.

❋

Chapitre quatre

Cet après-midi-là, Charlotte rencontre Jérémie devant la porte de l'école. C'est à cet endroit que leur mère a prévu les prendre.

— Et puis, comment est ta classe? demande Charlotte qui se sent encore mal par rapport à ce qui s'est passé à la récréation. Étudiez-vous aussi l'environnement? Mon enseignante, madame Demers, dit que les élèves de notre niveau participeront à une collecte de fonds pour acheter un bassin de récupération d'eau de pluie pour

l'école. Nous monterons une exposition d'art, comme nous l'avions fait à notre école. Euh... je veux dire, à notre *ancienne* école. J'ai proposé que nous peignions des portraits, et madame Demers a adoré l'idée. Alors, chacun de nous peindra le portrait d'une personne qui l'inspire. C'est génial, non ? La vente aux enchères se tiendra lundi soir prochain. Il faudra qu'on se dépêche !

— C'était mon..., réplique Jérémie en hochant la tête.

Mais Charlotte aperçoit soudain la voiture de sa mère se garer en bordure du trottoir. Elle tire Jérémie par la main.

— Vite ! Maman est là ! l'arrête-t-elle.

— Bonjour mes chéris ! lance leur mère. L'un de vous deux doit s'asseoir à l'avant.

Je n'ai pas encore ramassé les toiles qui se trouvent à l'arrière.

Charlotte se glisse sur le siège avant aux côtés de leur mère. Elle raconte avec enthousiasme tous les détails de sa première journée d'école. Mais ce n'est qu'au moment où ils tournent le coin de leur rue qu'elle pense à lui parler de l'exposition d'art.

— C'est fabuleux! s'exclame leur mère. Comme à votre ancienne école! Vous pourrez tous les deux utiliser mon studio, si vous le désirez. J'ai acheté de nouvelles couleurs d'aquarelle qui vont certainement vous plaire.

— Nous devons peindre un portrait, explique Charlotte. Nous devons choisir une personne qui nous inspire.

— Oh, c'est un sujet formidable, dit leur mère. Quelle bonne idée. Tu pourrais peindre ton artiste préférée, Charlotte — Frida Kahlo ? Tu te souviens, je l'avais peinte sur un chandail pour toi ? Et Jérémie, qui vas-tu peindre, mon chéri ?

Mais Jérémie ne l'entend pas. Il regarde par la vitre et rêvasse. Charlotte et sa mère s'échangent des regards et sourient. Puis, Charlotte se tourne à nouveau vers Jérémie. Elle constate qu'il n'a peut-être pas l'air si heureux, après tout.

Il est peut-être fâché contre moi parce que je n'ai pas joué avec lui aujourd'hui ? se demande-t-elle.

Lorsqu'ils arrivent à la maison, Charlotte se rappelle qu'elle doit être extrêmement gentille avec Jérémie vu qu'elle l'a laissé

tomber à l'école. Mais il ne désire pas jouer au Scrabble avec elle. Et en plus, il refuse qu'elle lui prépare un lait au chocolat !

C'est impoli de dire non à tout ce que je suggère, pense-t-elle en le regardant grimper sur une chaise afin d'atteindre la poudre au chocolat. Il saisit la boîte sur la dernière tablette du garde-manger, puis il la dépose sur le comptoir.

Il est certainement fâché contre moi parce que je n'ai pas joué avec lui à l'école, pense Charlotte en fronçant les sourcils. Eh bien, si c'est comme ça, il peut se le faire, son lait au chocolat! Elle ressent soudainement tellement de colère qu'elle tourne les talons, sort de la cuisine d'un pas lourd et se dirige dans sa chambre.

�֍

Ce soir-là, pendant le repas, Charlotte est toujours de mauvaise humeur. Elle parle

de madame Demers, de Maude et de Stéphanie à ses parents. Elle demande également à leur mère si elle pourrait se procurer un nouvel étui à crayons. Leur mère leur propose alors d'aller magasiner le lendemain. Charlotte souhaiterait aussi parler de son projet sur l'environnement à ses parents, mais ils ne semblent s'intéresser qu'à Jérémie. Elle sait qu'ils craignent que son frère soit trop timide pour se faire des amis. Ainsi, quand Jérémie fait allusion à son nouvel ami, Loïc, ils n'ont d'oreilles que pour lui ! Et en plus, Jérémie parle de la collecte de fonds comme si c'était *son* idée.

Charlotte ressent de plus en plus de colère. Dès qu'elle finit de manger son spaghetti, elle se rend dans sa chambre sans tarder et ferme la porte.

Je sais que je devrais être contente que la première journée de Jérémie se soit bien déroulée, pense Charlotte en s'allongeant sur son lit, mais c'était ma première journée à moi aussi !

✳

Chapitre
cinq

Le lendemain, Charlotte est toujours en colère contre Jérémie. Pendant le trajet vers l'école, Charlotte s'assoit à l'avant sans demander la permission — même si leur mère a débarrassé la banquette arrière afin qu'ils puissent s'y s'asseoir tous les deux. Charlotte est beaucoup trop fâchée contre Jérémie pour s'asseoir à côté de lui. Lorsqu'ils franchissent enfin la porte de l'école, Charlotte s'en va sans même lui dire au revoir.

Elle aperçoit Maude et Stéphanie sur leur banc spécial sous l'arbre. Elle court les rejoindre. Tandis qu'elle s'approche de ses amies, Charlotte remarque qu'elles sont toutes les deux coiffées de tresses françaises.

Pourquoi sont-elles coiffées de la même façon ? Se sont-elles parlé hier ? pense Charlotte, le cœur serré. Est-ce que je fais encore partie de leur club ? Elle continue son chemin vers le banc d'un pas hésitant, l'estomac noué.

— Salut Charlotte ! lance Maude, qui semble heureuse de la voir. Stéphanie et moi, on vient de se faire des tresses. Veux-tu qu'on t'en fasse ?

Charlotte pousse un soupir de soulagement, puis elle sourit aux filles. Elles ne

m'ont pas mise à l'écart, songe-t-elle. Je me fais du souci pour rien !

— Ce serait bien, répond-elle. Merci.

— Oh non, je crois que nous n'avons pas le temps, dit Stéphanie d'un air renfrogné. La cloche va bientôt sonner.

— Ce n'est pas grave. Tu n'as qu'à arriver plus tôt demain matin ! poursuit Maude. On se coiffera les unes les autres.

— Ouais, et on sera toutes les trois coiffées de la même façon ! dit Stéphanie.

— Bien sûr, répond Charlotte au moment où la cloche sonne.

Tandis qu'elles se dirigent vers leur classe, Charlotte remarque que les filles portent les mêmes rubans roses scintillants dans leurs cheveux.

J'aimerais tellement avoir des rubans comme les leurs, pense Charlotte. Nous aurions ainsi l'air de faire partie d'un vrai club, même si je suis nouvelle.

Comment parviendra-t-elle à convaincre sa mère de la conduire plus tôt à l'école le jour suivant *en plus* de lui acheter des rubans ainsi qu'un étui à crayons neufs?

Comme je suis bête! Je ne me suis jamais intéressée à ces choses-là auparavant, pense Charlotte.

À son ancienne école, Charlotte ne se souciait jamais de son look, et cela ne l'a jamais empêchée de s'intégrer à son groupe.

J'ignore pourquoi c'est différent ici, songe-t-elle. Est-ce parce que je ne suis pas dans la même classe que Jérémie?

❀

Charlotte adore madame Demers. Elle est jolie et amusante, mais aussi très exigeante.

Ce qui est une bonne chose compte tenu du fait que Charlotte est assise à côté de Stéphanie et de Maude, qui semblent bavarder beaucoup. Surtout à propos des vêtements et des garçons. Elles parlent de tout sauf du sujet que madame Demers essaie de leur enseigner!

— Stéphanie, Maude, au travail les filles! leur rappelle gentiment madame Demers lorsqu'elles sont supposées travailler.

Je me demande comment va Jérémie, se questionne Charlotte, oubliant qu'elle était fâchée contre lui ce matin-là. Elle se souvient qu'ils avaient l'habitude de s'asseoir ensemble à leur ancienne école. Cela lui fait drôle de ne pas être dans la même classe que lui. Ils s'aidaient toujours dans leurs travaux. Elle espère qu'il sera capable de

Je me demande comment va Jérémie.

résoudre ses problèmes de maths sans elle. Elle s'ennuiera de lui en anglais! Il sait toujours épeler les mots difficiles.

Leur père leur dit sans cesse qu'ils forment une bonne équipe. Ils ont chacun leurs aptitudes, mais ils sont tous les deux doués pour dessiner et s'entraider.

— Très bien, Charlotte! dit madame Demers, interrompant ainsi ses pensées.

Elle déambule dans la classe pour s'assurer que les élèves comprennent bien les questions. Elle se penche au-dessus de l'épaule de Charlotte et jette un coup d'œil à son travail.

— Tes réponses sont excellentes. Bravo !

Charlotte rougit.

— Merci, répond-elle. Nous avons déjà étudié la matière à mon ancienne école.

— Continue ton bon travail, dit madame Demers en souriant.

Elle se tourne vers le bureau de Maude.

— Hum, Maude, l'entend dire doucement Charlotte. Je crois que tu as fait une multiplication ici alors qu'il aurait fallu faire une division. Tu devrais peut-être recommencer ce problème.

Charlotte aperçoit les joues de Maude rougir, et elle se sent mal pour elle.

— Maude, je peux t'aider si tu veux, dit-elle tout bas.

Maude sourit.

— J'aimerais bien ! Je ne suis pas très douée en maths. Je suis tellement heureuse que tu sois mon amie !

Charlotte lui sourit.

— Moi aussi, répond-elle.

À la fin des cours, tandis qu'elles rangent leurs manuels de mathématiques, madame Demers leur rappelle de travailler à leurs portraits. Je vais demander à Jérémie s'il souhaite que nous les peignions ensemble après l'école, pense Charlotte.

❀

Chapitre six

Après l'école, Charlotte salue Stéphanie et Maude de la main. Elle cherche Jérémie dans la cour d'école, mais elle ne le voit nulle part. Puis, elle l'aperçoit près de la porte principale.

Elle court le rejoindre. Elle est sur le point de lui demander s'il souhaite qu'ils fassent sur leurs portraits ensemble lorsqu'elle réalise qu'un autre garçon se tient à ses côtés.

— Salut Charlotte ! dit Jérémie. Je te présente mon ami Loïc.

— Salut ! répond Charlotte en leur souriant à tous les deux.

Elle ne s'est pas rendu compte à quel point Jérémie lui a manqué ce jour-là.

Loïc sourit à Charlotte. Il possède un joli sourire espiègle.

— Je m'en vais travailler chez Loïc. On nous a demandé de créer une grande banderole pour l'exposition d'art, dit gaiement Jérémie.

Charlotte fronce les sourcils. Je n'arrive pas à croire qu'il s'en va chez son ami ! Maude et Stéphanie ne m'ont même pas encore invitée chez elles.

— Mais maman nous emmène magasiner, répond-elle, offusquée. Tu ne te souviens pas ?

— Pour t'acheter un étui à crayons, lui rappelle Jérémie. Je n'ai pas besoin d'y aller !

Maman ne te donnera pas la permission.

— Bien, ça m'étonnerait qu'elle te donne la permission, répond Charlotte en croisant les bras.

Jérémie hausse les épaules.

— Je vais le lui demander quand même.

Leur mère arrive à ce moment. Charlotte se précipite vers la voiture. Sa mère baisse la vitre.

— Maman, s'empresse de dire Charlotte, Jérémie veut aller chez Loïc, mais on doit aller magasiner, n'est-ce pas?

Leur mère regarde Jérémie et Loïc.

— C'est une excellente idée, Jérémie. Tu n'es pas obligé de venir avec nous si tu n'en as pas envie. Je vais vous déposer chez Loïc et m'assurer que sa mère est d'accord.

Charlotte regarde sa mère d'un air étonné. Elle ne connaît même pas Loïc, et elle permet à Jérémie d'aller chez lui?

Lorsqu'ils montent dans la voiture, Charlotte observe Loïc. Il joue avec une gale sur son coude. Les garçons peuvent être tellement grossiers, pense-t-elle.

— Loïc est si poli! lance la mère de Charlotte une fois qu'elles ont déposé les garçons. N'est-ce pas encourageant de voir

que Jérémie s'est déjà fait un bon ami, ma chouette ?

Charlotte se renfrogne et regarde par la vitre. Elle est heureuse que Jérémie ait rencontré Loïc, mais une part d'elle aimerait que tout redevienne comme avant.

Chapitre
sept

Au centre commercial, Charlotte et sa mère mettent la main sur un charmant étui à crayons violet recouvert d'étoiles argentées. Charlotte achète également quelques rubans roses scintillants avec son argent de poche, comme ceux que possèdent Stéphanie et Maude.

Charlotte se sent beaucoup mieux. Elle est impatiente de montrer ses nouveaux achats à Stéphanie et à Maude.

Charlotte et sa mère transportent leurs sacs jusqu'à l'aire de restauration.

— Comme c'est agréable, n'est-ce pas ? dit sa mère tandis qu'elles s'attablent pour manger un muffin accompagné d'un chocolat chaud. Juste entre filles !

— Ouais, bien sûr ! convient Charlotte en prenant une gorgée de chocolat chaud.

Charlotte aime bien avoir sa mère pour elle toute seule, mais Jérémie lui manque terriblement. Jérémie déteste magasiner, et particulièrement dans les centres commerciaux bondés. Mais il rend toujours la séance de magasinage amusante en inventant des histoires absurdes à propos des autres clients. C'est leur petit jeu à eux. Si Charlotte rit de son histoire, Jérémie marque un point. Si elle parvient à garder son sérieux, c'est Charlotte qui marque un point.

Je me demande ce que font Jérémie et Loïc, pense-t-elle en remuant sa boisson. Je me demande aussi quand Stéphanie et Maude vont m'inviter chez elles.

Charlotte se rappelle soudain que Stéphanie et Maude ont proposé qu'elles portent toutes les trois un chandail rose lors de la vente aux enchères qui se tiendra le lundi suivant.

— Maman, dit-elle. Tu sais le chandail rose à paillettes qu'on a vu? Celui qui me plaisait beaucoup?

La mère de Charlotte la regarde par-dessus sa tasse de café.

— Oui, répond-elle. Il est plutôt différent de ce que tu as l'habitude de porter, n'est-ce pas?

Charlotte baisse la tête et regarde la mousse au fond de sa tasse.

— Ouais, tu as raison, marmonne-t-elle.

— Est-ce que cela a un rapport avec Maude et Stéphanie? demande sa mère en sourcillant.

— Bien, en quelque sorte, répond Charlotte. On a envie de porter des chandails semblables pour la vente aux enchères.

Sa mère la regarde pensivement, puis lui dit :

— Mais j'adore les vêtements que tu portes. Ils sont si originaux !

— S'il te plaît, maman. Je veux être habillée comme Maude et Stéphanie.

— Bon, si c'est ce que tu veux. Ce pourrait être ton cadeau d'anniversaire en avance ?

Charlotte sourit à sa mère.

— Merci beaucoup maman ! dit-elle gaiement en se penchant au-dessus de la table pour la serrer dans ses bras.

❀

Chapitre
❋ huit ❋

Maude et Stéphanie raffolent du nouvel étui à crayons de Charlotte. Maude a même dit qu'elle souhaite s'en procurer un identique !

Cette semaine-là, Charlotte redouble d'efforts en classe et s'amuse avec Stéphanie et Maude à l'heure du dîner et aux récréations. Maude et Stéphanie passent beaucoup de temps à discuter à propos des garçons et des vêtements, ce qui convient à Charlotte la plupart du temps.

Mais Charlotte s'ennuie également de Jérémie.

Stéphanie et Maude n'ont pas de frères. Elles ne savent donc pas comment se comporter avec les garçons. Par contre, Charlotte sait que les garçons ne sont pas si différents des filles sur beaucoup de points. Elle le sait — elle a partagé sa vie avec un garçon ! Et il n'est pas si bizarre.

J'ai parfois l'impression de ressembler davantage à Jérémie qu'à Maude et Stéphanie, pense-t-elle tandis qu'elles se baladent ensemble dans la cour d'école. Jérémie et Charlotte ont plusieurs intérêts communs, comme de construire des cabanes dans les arbres et de jouer au basketball. Mais c'est peut-être parce que nous sommes jumeaux? se demande

Charlotte. Et de toute façon, je veux être amie avec Stéphanie et Maude et faire plein d'activités de filles !

Charlotte observe parfois Jérémie jouer au basketball avec Loïc et ses amis. Elle a souvent envie de se joindre à eux. En fait, elle est plutôt bonne au basketball. Mais le jour où elle propose à Stéphanie et à Maude de se joindre à la partie, elles refusent sous prétexte que les garçons suent tellement à force de courir qu'ils empestent toute la classe. Sans compter que Jérémie ne veut peut-être pas jouer avec elle, non plus.

Chaque jour, avant les cours, Charlotte, Stéphanie et Maude se coiffent les unes les autres. Elles essaient toutes sortes de styles différents. Le mercredi, elles se font des tresses. Puis le jeudi, ce sont des couettes sur les côtés. Mais Charlotte s'assure de toujours porter son ruban. Elle sait que c'est un peu ridicule, mais cela lui donne

davantage l'impression de faire partie de la bande.

Charlotte ne voit pas beaucoup Jérémie au cours de la semaine puisqu'il s'enferme dans sa chambre après l'école pour travailler sur son portrait. Comme il refuse de lui montrer sa peinture, elle ne peut même pas lui parler lorsqu'il travaille.

Charlotte n'a pas commencé son portrait. Elle ne sait pas encore qui elle souhaite peindre. C'est supposé être quelqu'un qui l'inspire, mais il n'y a personne qui lui vient en tête présentement. J'aime papa et maman. Ce serait cependant bien difficile de faire un choix entre les deux. Elle se demande si elle devrait peindre Frida Kahlo, son artiste préférée, mais cela ne lui semble pas la meilleure idée non plus.

Elle sait que Maude, qui adore le cinéma, fait le portrait de son acteur préféré. Stéphanie peint un nageur olympique. Cependant, Charlotte ne parvient pas à penser à une célébrité qui l'inspire. Et en plus, sa mère lui dit toujours qu'un portrait réussi illustre ce qui se trouve à l'intérieur d'un individu, et non seulement son apparence physique. Charlotte n'a aucune idée de ce qui se trouve à l'intérieur des individus qu'elle aperçoit dans les magazines puisqu'elle ne les a jamais rencontrés !

Le vendredi matin, pendant que Charlotte se coiffe devant le miroir de la salle de bains, il lui vient une idée. Je sais précisément qui je vais peindre, pense-t-elle en souriant. J'ai trouvé la personne idéale !

❋

Jérémie passe la fin de semaine chez son ami Loïc. C'est la première fois que Charlotte est séparée de Jérémie durant une aussi longue période. Bien que Jérémie soit d'un tempérament réservé, la maison semble étrange et vide sans sa présence.

— Pourquoi ne viendrais-tu pas terminer ton portrait dans mon studio, ma chouette ? propose la mère de Charlotte. Tu dois le remettre lundi, n'est-ce pas ?

— Ça va, j'ai presque terminé, répond Charlotte. Et de toute façon, je ne veux pas que tu le voies. C'est une surprise.

— Bien. Je serai dans mon studio si tu as besoin de moi, et papa devrait rentrer bientôt. Nous pourrions commander de la pizza et louer un DVD ce soir, si tu veux ?

Charlotte sait que sa mère essaie de lui remonter le moral, mais à vrai dire, Charlotte s'ennuie de Jérémie. Il n'y a rien que sa mère puisse dire pour lui remonter le moral.

J'ai cru qu'il serait bien que nous ayons chacun notre vie, mais à présent, j'ai l'im-

pression qu'une partie de moi a disparu, pense-t-elle piteusement.

Charlotte flâne dans la chambre de Jérémie. Elle sourit. Sa chambre est extrêmement bien ordonnée. Naturellement, toutes les maquettes de Lego qu'il a construites sont alignées sur le dessus de sa bibliothèque, et tous ses livres sont rangés de façon impeccable.

Nous sommes vraiment différents, pense Charlotte. Ma chambre est tellement en désordre que je ne parviens jamais à m'y retrouver. Elle se rend soudain compte que Jérémie doit être ravi d'avoir sa propre chambre. Charlotte se demande si Jérémie est heureux de passer du temps sans elle. Il a été tellement bizarre dernièrement, si secret et toujours en train de travailler à son projet d'art.

Elle sait que c'est mal, mais Charlotte décide de chercher le projet d'art de

Jérémie dans la chambre. Elle ouvre et referme minutieusement tous ses tiroirs ainsi que la porte de son placard afin qu'il ne s'aperçoive pas qu'elle est venue dans sa chambre. Mais elle ne trouve rien.

Il doit l'avoir apporté avec lui, pense-t-elle. Je n'arrive pas à croire qu'il l'a montré à Loïc, mais pas à moi !

Ce soir-là, Charlotte et ses parents mangent de la pizza en regardant un film. Charlotte aime bien avoir sa mère et son père pour elle toute seule, mais elle ne souhaite qu'une chose une fois que le film est terminé : retourner dans sa chambre. Elle ressent le besoin de se retrouver seule pour réfléchir aux sentiments ambigus qu'elle éprouve.

Cette nuit-là, Charlotte fait un rêve étrange. Elle rêve qu'en se regardant dans le miroir, elle aperçoit le visage de Jérémie plutôt que le sien. Et ça la fait sourire.

❁

Chapitre neuf

Charlotte termine son portrait le dimanche matin. Elle en est très satisfaite. Elle l'enroule pour l'apporter à l'école lundi. Elle ne veut pas que personne le voie avant le grand dévoilement!

La mère de Loïc vient reconduire Jérémie à la maison le dimanche après-midi. Charlotte l'accueille à la porte. Elle a hâte de le voir et espère qu'il sera aussi heureux de la retrouver. Mais Jérémie agit de façon très étrange.

— Alors, qu'est-ce que tu as fait chez Loïc? le questionne Charlotte en le suivant dans le corridor.

Il tient son sac à dos dans sa main.

— Hum, rien de particulier, répond Jérémie sans se retourner.

Charlotte accélère le pas et se dresse au pied de l'escalier afin de bloquer la voie à Jérémie.

— Vous avez sûrement fait quelque chose d'intéressant! insiste-t-elle. À quoi avez-vous joué?

— Peux-tu me laisser passer, s'il te plaît? demande Jérémie. Je dois aller dans ma chambre.

Il repousse Charlotte et monte l'escalier en tenant son sac devant lui.

Charlotte se demande si Jérémie et Loïc

préparent un mauvais coup. Elle n'arrive pas à croire qu'il soit si méchant avec elle alors qu'elle a passé la fin de semaine à penser à lui.

— Je te parle ! s'indigne-t-elle. Ce n'est pas très gentil de m'ignorer !

— Ohé, vous deux ! les avertit leur père du salon. Je vous interdis de crier.

Jérémie se défile. Il se dirige vers sa chambre et ferme la porte derrière lui.

Qu'est-ce qui CLOCHE avec lui ? fulmine Charlotte. Pourquoi m'ignore-t-il ? Nous ne nous sommes pas vus de la fin de semaine !

Charlotte est sur le point d'entrer dans sa chambre, mais elle change soudainement d'idée. Elle retourne d'un pas lourd vers la chambre de Jérémie et frappe de toutes ses forces sur la porte.

— Tu ne peux pas entrer! crie Jérémie.

— Si, je le peux! réplique Charlotte en ouvrant la porte avec fracas.

— Ce n'est *pas* juste! crie Jérémie en se levant d'un bond.

Son sac à dos est ouvert sur son lit.

— On n'a pas le droit d'entrer dans la chambre de l'autre sans sa permission. C'est *toi* qui as inventé cette règle, et maintenant, c'est *toi* qui l'enfreins! C'est ma chambre!

Charlotte est méfiante.

— Tu me caches quelque chose! dit Charlotte en se renfrognant. Loïc et toi avez fait quelque chose de mal, n'est-ce pas?

— Ça ne te regarde pas! réplique Jérémie. Et pourquoi est-ce qu'on aurait fait quelque chose de mal? Tu ne *connais* même

pas Loïc. Tu ne veux plus me parler, et maintenant que j'ai un ami, tu dis du mal de lui !

Charlotte reste bouche bée. Elle n'avait pas l'intention de dire de mal de Loïc.

— Les enfants, pourquoi criez-vous ? demande leur père du pied de l'escalier.

— On est désolés, papa, répond calmement Charlotte au bout d'un moment.

Est-ce vraiment ce que pense Jérémie ?

Elle prend une grande respiration et se tourne vers Jérémie.

— Pourquoi dis-tu que je ne veux plus te parler ? C'est toi qui te sauves toujours de moi, qui te terres dans ta chambre et qui es toujours rendu chez Loïc !

— Tu ne veux pas te tenir avec moi, tu ne te souviens pas ? dit Jérémie avec colère. Tu voulais que je me fasse mes propres amis. Et en plus, *tes* amies ont bien dit que les garçons ne sont pas admis dans votre club ! J'ai d'ailleurs essayé de te parler à plusieurs reprises cette semaine, mais tu ne m'écoutais jamais.

Charlotte regarde Jérémie. Elle sait qu'il a raison. À mon ancienne école, certains de mes amis étaient des garçons, constate-t-elle. Même mon jumeau est un garçon !

— Je m'excuse, dit Charlotte qui se sent soudainement coupable. Tu as raison. J'ai cru que tu ne voudrais plus te tenir avec moi maintenant que tu as Loïc. Et tu m'as manqué — c'était tellement ennuyant cette fin de semaine sans toi.

Jérémie sourit légèrement.

— C'est vrai? Tu m'as aussi manqué. J'avais peur de faire un cauchemar et que tu ne sois pas là pour me rassurer.

— Je suis désolée, petit frère, dit Charlotte en souriant et en ébouriffant les cheveux de Jérémie. Tu aurais peut-être dû demander à Loïc qu'il m'invite aussi.

Jérémie lui tire la langue.

— Et pourquoi est-ce qu'on ne dormirait pas dans la même chambre ce soir, comme avant? propose Charlotte. Tu

pourrais installer ton matelas par terre, près de mon lit. Je te rappelle aussi que ça fait une éternité qu'on ne s'est pas fait un festin de minuit.

— Oh, je ne sais pas, répond Jérémie en secouant la tête.

Charlotte fronce les sourcils, perplexe.

Puis un sourire radieux illumine le visage de Jérémie.

— Ça m'étonnerait que mon matelas entre dans ta chambre — elle est bien trop en désordre ! Viens plutôt dans ma chambre.

❋

Chapitre dix

C'est lundi soir, et Charlotte se prépare pour l'exposition d'art. Elle s'assoit dans sa chambre. Vêtue d'un jean et de sa robe de chambre, elle se demande quel chandail porter. À sa gauche est étendu le chandail rose à paillettes que sa mère vient de lui acheter. Charlotte porte bien le rose, mais le plus important, c'est qu'elle serait habillée comme Maude et Stéphanie.

Et à sa droite se trouve son chandail préféré, celui que sa mère a peint pour elle et

sur lequel figure le visage de Frida Kahlo. Elle le portait tout le temps à son ancienne école. Je me demande ce que diraient Maude et Stéphanie si je portais un chandail qui affiche le portrait d'une artiste, pense Charlotte. Et particulièrement une artiste au look étrange qui possède d'épais sourcils !

Charlotte enfile finalement le chandail rose. Puis, elle se dirige dans la chambre de Jérémie pour voir comment il est habillé. À son grand désarroi, Jérémie porte son chandail jaune serin.

Charlotte grimace tandis qu'elle s'assoit sur le rebord de son lit, puis elle le regarde se débattre avec ses cheveux.

— Tu vas porter ce chandail-là ? finit-elle par dire en jouant avec le bracelet autour de son poignet.

— Ouais, j'avais envie de porter mon chandail porte-bonheur puisqu'il s'agit d'une soirée spéciale, répond Jérémie en essayant de remettre en place certaines mèches de cheveux rebelles avec sa salive. Ce serait bien si l'exposition d'art nous permettait d'amasser suffisamment d'argent pour acheter un bassin de récupération d'eau, non?

Charlotte pousse un soupir, et l'entend sans l'écouter. Elle serait curieuse de savoir ce que Maude et Stéphanie diraient du chandail troué de Jérémie. Elle se remet à tripoter son bracelet.

— Tu sais, Jérémie, la couleur jaune ne va pas bien aux roux.

— Vraiment? répond Jérémie en se regardant dans le miroir.

— C'est juste que, tu sais, avec tes cheveux roux et ton teint pâle… bien, cet amalgame de couleurs vives est joli sur une toile, mais pas sur une personne.

— Oh! dit Jérémie en hochant vivement la tête.

Il commence à se dévêtir.

Charlotte se sent soudainement mal. Il est temps de cesser de dire à Jérémie ce qu'il doit faire, réfléchit-elle. Il souhaite sûrement porter ce vieux chandail laid! Cela ne me regarde pas!

Elle se redresse et dit:

— En fait, Jérémie, porte-le. On a des goûts différents, c'est tout!

— Tu en es certaine? s'exclame Jérémie en se regardant à nouveau dans le miroir. Bon, c'est mon chandail porte-bonheur mais…

Charlotte éclate de rire.

— Tu sais quoi ? Tu es tellement démodé que ça en est cool !

Jérémie lui sourit étrangement.

— Je me moque réellement d'être cool ou non. C'est vrai, dit-il. Je préfère que mes amis me trouvent drôle plutôt que cool. Pour faire rire les gens, nous pouvons rester nous-mêmes.

Charlotte regarde Jérémie d'un air étonné. Il a encore raison ! Où avais-je la tête ? Tout ce temps, elle tenait tellement à se faire accepter par ses nouvelles amies qu'elle avait mis ses propres goûts de côté ! Et c'est mon petit frère démodé qui me l'a fait remarquer.

Charlotte saute du lit, et serre fortement Jérémie dans ses bras.

— Tu es le meilleur ! dit-elle en lui ébouriffant les cheveux.

— Hé ! lance-t-il. Tu me décoiffes !

— Coiffe-les de cette façon ! suggère
Charlotte par-dessus son épaule en sortant
de la chambre de Jérémie à grands pas.
C'est à la mode ! Puis elle se rend dans sa
chambre pour se changer.

✱

Jérémie, Charlotte et leurs parents arrivent devant l'école. Ils sont en retard, comme d'habitude, et le stationnement est bondé.

— On dirait que toute la ville s'est donné le mot! dit leur père tandis qu'il cherche un espace libre. Vous devriez être en mesure d'acheter votre bassin de récupération d'eau, les enfants!

— Vous êtes anormalement tranquilles, vous deux, affirme leur mère en se retournant vers la banquette arrière. Vous n'êtes pas en chicane, non?

Charlotte saisit la main de Jérémie et la serre. Il lui sourit. Charlotte est très énervée, et elle peut deviner qu'il ressent la même

chose qu'elle. C'est l'un des avantages d'être jumeaux.

La grande salle de l'école est magnifique. Les portraits des élèves sont accrochés aux murs, et il y a des gens partout. Charlotte et Jérémie prennent chacun un verre de boisson gazeuse sur la table située dans le vestibule.

— Hé, c'est monsieur Petit! s'exclame Jérémie. Allons lui dire bonjour.

Ils se faufilent dans la foule pour aller rejoindre l'enseignant de Jérémie. Monsieur Petit tient une plaque à biscuits dans une main. Il serre fermement la main de leurs parents avec l'autre.

— Je suis ravi de vous rencontrer, monsieur et madame Grenier, dit monsieur Petit. Jérémie est un bon garçon. C'est tout

un bouffon! Et à ce que je peux voir, c'est également un excellent peintre. Cette banderole que Loïc et lui ont préparée est superbe. D'où lui vient ce talent?

Leur père sourcille et se tourne vers Jérémie, qui est devenu tout rouge.

— J'ai bien peur que cela lui vienne de sa mère, répond-il en souriant.

Leur mère éclate de rire et met son bras autour de la taille de leur père.

— C'est vrai que leur père n'a aucun talent artistique, mais il est très bon en maths!

— Donc ce doit être de vous que tient votre fille, réplique monsieur Petit en souriant à Charlotte. Madame Demers ne cesse de me répéter à quel point Charlotte a un don pour les maths.

Charlotte sent ses joues s'enflammer et un large sourire illuminer son visage.

— Oh ! le directeur nous demande d'entrer à l'intérieur, les informe monsieur Petit. La vente aux enchères va bientôt commencer.

— Rentrons vite si nous voulons de bons sièges, dit Charlotte.

— Mais nous n'avons pas encore vu vos œuvres, se plaint sa mère.

— Ça n'a pas d'importance, maman. Ils vont montrer les portraits au fur et à mesure qu'ils vont les mettre en vente, répond Charlotte. Ah ! voici Stéphanie et Maude.

Les deux filles se frayent un chemin à travers la foule et viennent rejoindre Charlotte. Elles ricanent et agitent la main. Puis, elles s'immobilisent et examinent le chandail de

Charlotte. Oups, pense Charlotte, un peu nerveuse. Elles portent toutes les deux un chandail rose à paillettes comme elles s'étaient entendues pour le faire.

Mais Stéphanie lui sourit et dit :

— Hé, j'adore ton chandail !

— Ouais, ajoute Maude. Est-ce qu'il s'agit de cette célèbre peintre espagnole ?

— Hum, oui, affirme Charlotte, étonnée. C'est Frida Kahlo.

Charlotte réalise soudain que Stéphanie et Maude l'apprécient malgré qu'elle soit différente d'elles. En fait, constate-t-elle, mes amies m'aiment bien PARCE QUE je suis différente d'elles. Dire que je me suis inquiétée à ce sujet pendant tout ce temps ! Même s'ils sont différents, les gens peuvent être amis. Comme Jérémie et moi !

— Tu peux aller t'asseoir avec tes amies, si tu veux, lui chuchote sa mère à l'oreille.

— Non, c'est bon, répond Charlotte. Je crois que je vais m'asseoir à côté de Jérémie ce soir !

Elle sourit à Maude et à Stéphanie.

— J'espère que cela ne vous dérange pas.

— Ne t'en fais pas. On se revoit plus tard, répond Stéphanie.

Maude la salue de la main, puis les filles s'éloignent.

Charlotte n'a pas besoin de regarder Jérémie pour savoir qu'il affiche son sourire espiègle.

❀

RETOURNER POUR LIRE LA VERSION DE JÉRÉMIE

GO GIRL!
Les 2 côtés
DE LA MÉDAILLE

Le chapitre secret

Ne pas ouvrir avant
d'avoir lu les deux versions
de l'histoire.

Découper en suivant le pointillé pour lire le chapitre secret.

Bien que l'amphithéâtre soit bondé, Jérémie, Charlotte et leurs parents parviennent à trouver de bons sièges à l'avant. Les jumeaux s'assoient côte à côte tandis que leur mère et leur père s'installent de chaque côté d'eux.

Jérémie et Charlotte ont l'esprit survolté. Ces dernières semaines à leur nouvelle école ont été chargées, surtout grâce à cette formidable exposition d'art ! Le fait qu'aucun

des deux ne sache ce que l'autre a peint ajoute une touche spéciale à l'évènement.

Ils se disent normalement tout. Mais les choses sont si différentes depuis qu'ils sont déménagés.

Charlotte serre la main de Jérémie au moment où les lumières se tamisent.

— J'espère que tu aimeras mon portrait, chuchote Charlotte.

— J'espère que tu aimeras *mon* portrait! répond Jérémie.

Monsieur Sirois, le professeur de musique, monte sur la scène et s'avance vers l'auditoire. Il attend que tout le monde se taise.

— C'est tellement excitant, dit Charlotte en donnant un coup de coude à Jérémie.

— Et c'était notre idée, lui rappelle Jérémie.

— Je sais que nous avons eu quelques différends dernièrement, mais nous sommes les meilleurs jumeaux du monde, dit Charlotte à Jérémie.

Elle peut deviner que Jérémie sourit dans l'obscurité.

— Tout à fait ! murmure Jérémie. Oups, monsieur Sirois parle. Chut !

Monsieur Sirois se présente et félicite le personnel et les élèves qui se sont investis dans la vente aux enchères.

— Et j'aimerais dire un merci particulier aux jumeaux Grenier qui ont proposé une excellente idée pour la collecte de fonds !

Charlotte et Jérémie échangent un sourire.

— Espérons que nous pourrons l'acheter, ce bassin de récupération d'eau! poursuit monsieur Sirois. À présent, comme vous le savez, le thème de l'exposition de ce soir est *Qui t'inspire?* Voici le premier portrait en vente ce soir. Il s'agit d'une magnifique œuvre peinte par Sophie Bernier. Sophie dit que son grand-père est son héros. Elle l'a représenté portant ses médailles de guerre. N'est-ce pas formidable! Qui aimerait faire une première offre?

Plusieurs personnes lèvent la main, et le portrait de Sophie est rapidement vendu. Puis une autre œuvre est vendue, puis une

autre, et encore une autre. Monsieur Sirois passe sa liste en revue. Chaque portrait est vendu.

Malgré que la majorité des portraits soient vendus à bas prix, il y en a une quantité faramineuse. Le cerveau mathématique de Charlotte se met à tourner au ralenti comme une caisse enregistreuse. Elle croit qu'ils ont presque atteint leur objectif pour acheter le bassin de récupération d'eau.

Monsieur Petit et le père de Loïc font chacun une offre sur le portrait de Loïc. Charlotte et Jérémie regardent les deux hommes renchérir l'offre de l'autre. Enfin, monsieur Petit secoue la tête en souriant.

— D'accord, je vous la laisse ! crie-t-il au père de Loïc.

Le portrait de Maude est acheté par madame Demers. Mais les œuvres de Jérémie et de Charlotte n'ont pas encore été présentées. Charlotte commence à ressentir de la nervosité. Jérémie ne cesse de gigoter, ce qu'il fait toujours lorsqu'il est préoccupé. Ils se demandent tous les deux si leurs œuvres seront présentées en dernier.

Et si les gens étaient à court d'argent lorsque leur tour viendra? D'autant plus que leur mère a déjà acheté trois tableaux! Les gens qui ont de jeunes enfants ou des bébés qui pleurent commencent à quitter la salle.

Enfin, au moment où Jérémie et Charlotte ont l'impression qu'ils sont sur

le point d'exploser, monsieur Sirois rappelle les gens à l'ordre. La salle était devenue bruyante avec tous ces enfants agités et les parents qui bavardaient.

— En premier lieu, commence monsieur Sirois, nous venons de comptabiliser l'argent amassé, et j'ai le plaisir de vous annoncer que nous avons déjà atteint notre objectif! Nous pourrons donc acheter un bassin de récupération d'eau pour l'école!

Tout le monde se met à applaudir. Charlotte et Jérémie sont contents, mais ils sont également un peu inquiets. Où sont leurs portraits?

— Ils ont peut-être été égarés? chuchote Jérémie sur un ton affolé.

— J'espère que non, répond Charlotte en se mordant la lèvre.

Puis monsieur Sirois parle à nouveau dans le micro.

— J'ai gardé deux portraits pour la fin, et vous comprendrez pourquoi dans une minute.

L'amphithéâtre devient soudainement silencieux. Charlotte saisit la main de Jérémie. Puis, pas une, mais deux œuvres sont transportées sur la scène. Charlotte et Jérémie regardent leurs portraits avec étonnement. Les œuvres sont presque identiques !

— Les jumeaux Grenier ont manifestement travaillé étroitement ensemble pour créer ces magnifiques portraits de l'un et de

l'autre, dit monsieur Sirois en souriant aux jumeaux. En fait, si ce n'était pas des cheveux, il serait difficile de dire lequel est lequel, n'est-ce pas ? J'ai donc décidé de les vendre ensemble — et je vais sans aucun doute faire une offre moi-même !

Jérémie et Charlotte contemplent leurs portraits, puis ils se regardent longuement. Ils ont chacun peint le portrait de l'autre comme étant la personne qui l'inspire le plus !

— Ils sont magnifiques, mes chéris, s'exclame leur mère en levant la main pour faire une offre. Mais je croyais que vous aviez dit que vous garderiez chacun votre portrait secret ?

— C'est ce que nous avons fait ! répondent les jumeaux en chœur.

À ce moment précis, Charlotte et Jérémie savent qu'ils pensent la même chose. C'est formidable d'avoir un jumeau !

Le chapitre secret

Ne pas ouvrir avant
d'avoir lu les deux versions
de l'histoire.

RETOURNER POUR LIRE LA VERSION DE CHARLOTTE